25.75

Introduction des Editions Soleil

Dans toutes les civilisations et religions de l'histoire on découvre que, par des techniques de relaxation physique, d'apaisement émotionnel et de détente mentale, chacun peut apprendre à mettre de côté sa « raison raisonnante » pour faire l'expérience de niveaux de conscience profonds. Dans ces états, qui diffèrent de la conscience quotidienne ordinaire par une réceptivité accrue à ce que l'on peut appeler l'intuition ou l'inspiration, une communication peut s'établir avec des sources de sagesse capables de nous guider vers une compréhension plus large du sens de la vie et de notre rôle dans l'univers.

La plupart des religions enseignent comment, par la prière, la méditation ou d'autres techniques spirituelles, on peut entrer en relation avec le monde des esprits, qui est plus vaste que le monde de nos pensées personnelles. Les écrits bibliques, comme les récits des traditions sacrées orientales ou d'autres parties du monde, montrent comment des individus ont appris à communiquer avec des personnes décédées, des guides spirituels, des anges ou des êtres de lumière, bref, à développer une communication télépathique aux immenses possibilités, prouvant ainsi qu'il est possible d'élargir son « réseau téléphonique » au point de pouvoir dialoguer avec des êtres ou entités qui n'habitent pas dans un corps physique. Evidemment, pour un esprit rationaliste imbibé de culture cartésienne occidentale, l'idée même que des êtres puissent exister en dehors d'un corps physique semble saugrenue. Pourtant, une abondante littérature montre que ce phénomène de communication avec des êtres spirituels a toujours existé et qu'il a même été l'une des sources les plus fécondes des grands chefs-d'oeuvre de la littérature. Sans parler de tous les grands mystiques qui déclarèrent avoir écrit leurs ouvrages sous la dictée d'un guide spirituel.

En cette fin de 20ème siècle, le rationalisme scientifique, tout-puissant pendant ces dernières décennies, se voit remis en cause. Un nouvel âge de la conscience émerge. Il ouvre des perspectives plus vastes sur la science et la spiritualité, il permet une meilleure compréhension du cosmos dont notre planète et nous-mêmes ne sommes qu'une infime partie.

Les idées de ce Nouvel Age sont en avance aux Etats-Unis par rapport à l'Europe. Un vaste public y est déjà ouvert à toutes les formes de communication spirituelle. Des personnalités célèbres, comme l'actrice Shirley Mac-Laine, ont d'ailleurs contribué à le sensibiliser et à l'informer. Les auteurs de ce livre, Sanaya Roman et Duane Packer, travaillent depuis des années à l'avènement d'une nouvelle conscience.

Ils font entrer ce phénomène de la communication spirituelle, autrefois cantonné à des pratiques ésotériques peu connues, dans notre vie quotidienne. Ils montrent comment chacun peut développer sa propre médiumnité. Ainsi, ce qui était réservé à quelques-uns peut devenir l'affaire de tous. Le vocabulaire reflète cette évolution. Des termes comme « spiritisme » et « médium » ont fait place à des concepts créés à dessein pour exprimer une situation nouvelle. Le traducteur de ce livre a conservé intentionnellement les mots anglais « channeling » et « channel », les faisant alterner avec leurs équivalents français, moins évocateurs, qui sont « transmission » et « transmetteur ».

Tout être humain se posant la question du sens de sa vie et prenant conscience du processus de développement spirituel dans lequel il est engagé verra l'immense intérêt de la communication spirituelle.

En effet, l'être qui ne vit pas sur le plan terrestre (qu'on l'appelle « esprit », « entité » ou « guide spirituel »), peut nous offrir l'appui de son amour et de ses connaissances. A celui qui doit affronter l'ignorance, les peurs et les difficultés de la vie terrestre, il peut apporter la lumière de sa sagesse, l'aidant à discerner le sens profond de la vie, à se délivrer des souffrances et des maladies, des émotions négatives, des limitations mentales et du vide spirituel qui crée le malheur de tant de nos contemporains.

Puisse ce livre contribuer à faciliter une approche objective de la communication spirituelle et à montrer combien il est vital, en notre époque de transition, d'inclure les phénomènes spirituels, parapsychologiques et transpersonnels dans notre vie individuelle et planétaire. Car, comme le disait André Malraux : « Le 21ème siècle sera spirituel ou ne sera pas ! » A l'heure où l'homme a acquis la capacité de se détruire, la prise de conscience de notre nature spirituelle profonde ne serait-elle pas essentielle à notre survie ?

Les Editions Soleil

Remerciements

Nous tenons à remercier : notre amie LaUna Huffines, que nous avons vue devenir un excellent channel et qui a été présente à nombre de nos transmissions, pour sa lumière, son aide et ses idées; nos amis Ed et Amerinda Alpern pour la joie de les avoir vus développer leur channeling et pour leurs encouragements constants.

Nous voulons aussi remercier Julie French pour son aide lors de cours de channeling et pour le plaisir de l'avoir vue devenir un bon channel et thérapeute. Des remerciements particuliers au docteur Linda Johnston, à Jan Shelley, Leah Warren, Wendy Grace, Scott Catamas, Cheryl Williams, Nancy McJunkin, Sandy Hobson, Eva Roza, Mary Beth Braun, Mari Ane Anderson, Mary Pat Mahan, Colleen Hicks, Stacey Mattraw, Michele Abdoo, Evanne Riter, Trudie London, Roberta Heath, Jill O'Hara, Patrice Noli, Margo Naslednikov, Ronnie Rubin, Margo Chandley, Susan Levin, Eve et Lloyd Curtis, Jane Wanger, Loretta Ferrier, Shirley Runco, Sheily et Earl Babbie, Francine Kohn, Rob Friedman, Sally Deutscher et JoAnne Marsau.

Nous remercions Sara McJunkin d'avoir dirigé le bureau et pour les lundis soirs; Lois London de nous avoir aidés à préparer les cours et pour son travail au bureau; et Denise Nowacki pour la transcription des cassettes.

Nous désirons remercier la communauté Nouvel Age de Maui, y compris Romi Fitzpatrick, pour son aide et son magnifique cercle de remerciements pendant que nous écrivions ce livre; la communauté de channeling de Dallas, dont Jean St. Martin, pour son courage à s'ouvrir pour transmettre et pour l'aide et les amis que nous avons trouvés dans leur belle ville; et les gens merveilleux du mont Shasta, dont Dorothy Kingsland, pour leur aide et leurs encouragements.

Mille fois merci à Hal Kramer qui nous a si bien soutenu et avec qui il est si agréable de travailler, à Greg Armstrong pour son travail éditorial et ses suggestions, Elaine Ratner, Linda Merrill et Linda Lutzkendorf. Nous remercions beaucoup Abigail Johnston pour sa maquette talentueuse et Judith Cornell pour sa superbe illustration.

Nous vous sommes reconnaissants à vous tous qui avez suivi les cours de channeling pour avoir bien voulu être à l'avant-garde d'une nouvelle conscience, et nous vous remercions de vos histoires. Nous voulons saluer tous ceux d'entre vous qui se lanceront dans le channeling à partir de ce livre pour votre courage et votre désir d'évoluer. Nous sommes aussi ouverts à vos histoires.

Nous voulons remercier ceux qui nous ont précédés, en particulier Jane Roberts et Edgar Cayce; et tous les channels qui offrent aujourd'hui leur travail au monde.

Et surtout, merci à vous, Orin et Da-Ben, qui avez rendu ce livre et cette voie possibles pour nous tous.

TABLE DES MATIERES

DEUXIEME PARTIE : S'OUVRIR POUR TRANSMETTRE

QUATRIEME PARTIE : VOTRE DEVELOPPEMENT EN TANT QUE CHANNEL

PREFACE

« Depuis que j'ai commencé à transmettre, je sens mon coeur constamment ouvert. Je vois le monde d'une façon complètement différente. Les gens me semblent beaucoup plus cordiaux et je me sens plus déterminée à être moi-même. Je rencontre tant de personnes merveilleuses; la vie est incroyablement belle ! »

— *Une femme, après avoir contacté son guide.*

Le channeling peut changer votre vie

Ce livre contient un message : le channeling est un art qui s'apprend. Transmettre implique d'avoir atteint une expansion de la conscience permettant de contacter ou un guide de haut niveau ou la source, le moi profond. Pour cela, nul besoin d'être évolué spirituellement, ni d'avoir manifesté des dons psychiques tout au long de sa vie; il faut de la patience, de la persévérance, et un désir profond d'établir cette connexion.

Ce livre est une incitation à devenir un transmetteur éveillé : conscient de ce que dit votre guide. Il vous apprendra comment élever votre qualité vibratoire pour percevoir, voir ou entendre sur les plans supérieurs où se situent les guides, et laisser passer consciemment les messages. Les mots « médium » ou « psychique » étaient communément utilisés pour désigner celui qui entre en contact avec un guide; on parle plutôt aujourd'hui de

« transmetteur », de « canal » ou de « channel » . De même, on utilise d'habitude l'expression « transe médiumnique » pour nommer l'état particulier qui accompagne cette expérience; mais dans ce livre, nous utiliserons simplement les termes « transmission » ou « channeling ».

La transmission a-t-elle une réalité ? Il existe des centaines d'histoires de savants qui, en essayant de réfuter ces phénomènes, se sont peu à peu convaincus qu'il y avait là bien plus qu'il n'y paraît à première vue. Beaucoup d'entre eux sont devenus des défenseurs du channeling ou eux-mêmes des transmetteurs. Il n'est pas possible de prouver que la transmission est ou n'est pas une réalité, au sens courant de ce mot, mais ce qui est sûr, c'est que bien des gens l'ont pratiquée et en ont tiré des résultats positifs pour leur vie.

Au cours des dernières années, avec nos guides, Orin et Da-Ben, nous avons enseigné le channeling à plusieurs centaines de personnes et nous les avons suivies dans leur progression. Toutes ont une chose en commun : un intense désir de transmettre. Elles témoignent toutes, sans exception, que leur vie s'en est trouvée vraiment transformée. Leur horizon s'est considérablement élargi, elles perçoivent le monde d'une façon beaucoup plus positive. Elles nous parlent de la compassion qu'elles ont trouvée pour les autres comme pour elles-mêmes. La plupart d'entre elles ont vu leur prospérité s'accroître du fait d'un changement dans leurs habitudes, dû à une attitude nouvelle, une vision claire de leurs motivations, une confiance affermie dans leurs perceptions intérieures. Certaines rapportent que c'est comme s'« il leur arrivait » une telle plénitude. Elles se sentent portées par le courant, plutôt qu'en lutte contre lui. Peu à peu leur vie est devenue plus ordonnée, plus riche de sens, portée par un but. Beaucoup ont trouvé dans le channeling l'échelon qu'elles cherchaient à gravir et le chemin vers la lumière.

Cas après cas, nous avons constaté une croissance personnelle et spirituelle considérable après que soit établi le contact avec un guide. Cette amélioration ne concerne pas seulement la vie intime — comment on se sent face aux autres, les sentiments, le regard porté sur sa propre valeur — mais aussi la vie relationnelle. Les parents deviennent plus avisés sur la manière d'aider leurs enfants à développer leurs potentialités. La communication entre maris et femmes s'établit sur de nouveaux registres, des liens plus profonds se tissent entre eux. Il devient plus facile d'aider les autres, de comprendre, de pardonner. On se découvre un lieu d'habitation, un travail, des occupations qui correspondent à ce que l'on est et à ce que l'on aime.

Par la transmission, les guides nous aident à prendre conscience de notre véritable but, et aussi à l'atteindre. Nous n'avons encore trouvé aucune limite aux lieux où l'on peut se rendre grâce à la transmission, aux découvertes que l'on peut faire, aux connaissances que l'on peut obtenir, ni à l'épanouissement personnel auquel on peut parvenir.

Orin et Da-Ben veulent faire en sorte qu'il n'y ait pas de place, dans la transmission, pour la peur, ni pour le mystère. Parmi ceux à qui nous avons donné cet enseignement, il n'y a pas eu un seul cas de mauvaise expérience avec un guide. Tous ont maintenu la ferme intention d'entrer en contact avec des guides supérieurement évolués. Tous ont suivi le processus décrit dans ce livre, conçu pour produire une ouverture sans danger.

Nous vous invitons à considérer le contenu de ce livre comme un point de départ auquel vous pouvez vous référer à mesure que vous vous ouvrez et que vous affermissez votre contact avec un guide. Servez-vous de ce qui est en accord avec votre propre expérience et rejetez le reste. N'oubliez pas que ces lignes ne sont que le fruit de notre expérience et de notre sincère conviction. Si vous jugez qu'il vous faut plus de renseignements, demandez à votre guide, ou à votre être intérieur, et ayez confiance dans la réponse qui vous est faite. La transmission est un champ d'expérience si vaste qu'il est impossible d'en rendre compte en un seul livre. De plus en plus de choses sont écrites sur le channeling à mesure que nous sommes plus nombreux à explorer, à découvrir et à évoluer dans ces plans supérieurs. Respectez vos propres expériences. Restez loyal envers l'intégrité qui est en vous.

En vous ouvrant à la transmission, vous en rendez le chemin possible pour les autres. Partez pour cette aventure avec confiance, joyeux et libre alors que vous progressez vers des niveaux toujours plus élevés de sagesse en vous ouvrant pour transmettre. Nous vous souhaitons la bienvenue au seuil de cette aventure merveilleuse qui s'ouvre devant vous.

Comment utiliser ce livre

On peut utiliser ce livre comme un manuel pour apprendre à transmettre. Il comporte quatre parties. La première, « Introduction au channeling » (chapitres 1 à 5), donne des informations générales sur le channeling — comment ce sera, qui sont les guides, comment communiquent-ils avec vous et comment savoir si vous êtes prêt pour transmettre. La deuxième partie, « S'ouvrir pour transmettre » (chapitres 6 à 9), peut être vue comme un cours de channeling. Si vous réussissez les deux premiers exercices du chapitre 6 (« Parvenir à se relaxer » et « Maintenir une concentration focalisée »), vous pouvez faire les autres, puis passer au chapitre 7. Vous pourrez alors commencer à transmettre par la parole en une après-midi. Suivez votre propre rythme, établissez votre programme à votre idée — sur une après-midi ou sur plusieurs semaines.

La troisième partie, « Récits d'ouvertures à la transmission » (chapitres 10 à 13), raconte de quelle façon nous avons commencé à transmettre et les histoires de plusieurs personnes à qui nous avons enseigné. Ces récits illustrent certains problèmes que l'on rencontre souvent quand on s'ouvre pour transmettre et vous donnent des indications sur la démarche à adopter face à eux. La quatrième partie, « Votre développement en tant que transmetteur » (chapitres 14 à 17), contient les conseils d'Orin et Da-Ben pour vous permettre de vous développer en tant que canal, des réponses aux questions, aux doutes et aux peurs qui peuvent surgir, et des éléments pour comprendre avec discernement les transformations que vous pouvez expérimenter après votre ouverture. Ces transformations consistent en une accélération de la croissance spirituelle et en des changements dans le corps physique.

Sanaya et Duane

INTRODUCTION

Pourquoi enseigner le channeling?

SANAYA   C'était le 23 novembre 1984, le lendemain du Thanksgiving Day. Depuis la veille, il y avait de l'expectative dans l'air. Nous avions célébré cette fête de Thanksgiving avec quelques amis par des jeux, des séances de transmission et des méditations en commun. Nous avions tous reçu par transmission l'information que de nouvelles choses étaient sur le point d'arriver pour chacun de nous. Nos amis Ed et Amerinda avaient prédit que leur bébé naîtrait ce jour-là. Nous étions tous au diapason de ce bébé en voyage vers son incarnation. Le thème du week-end semblait bien être pour nous tous la naissance et la renaissance.

Duane et moi avions décidé de prendre un peu de temps pour nous; nous avions besoin de nous reposer des cours que nous donnions l'un et l'autre, de nous mettre un peu à l'écart des gens avec qui nous travaillions. Nous avions prévu de faire un tour sur un lac des environs dans le bateau gonflable de Duane. Il faisait très chaud pour un jour de novembre dans le Nord californien. Nous nous sentions reposés, en paix, et nous décidâmes d'entrer en transmission avant de nous mettre en route. Depuis plusieurs mois, nous demandions à nos guides, Orin et Da-Ben, de nous parler du but supérieur de notre vie.

Orin se mit à nous parler assez innocemment de sujets anodins, nous suggérant de prêter plus d'attention à certains points de routine. Puis il nous demanda soudain si nous voulions savoir comment nous pourrions vraiment servir nos semblables et mettre en même temps nos objectifs personnels en adéquation avec nos buts spirituels. Bien sûr, nous fûmes avides d'en savoir plus ! Alors il nous parla de ce qui allait bientôt se produire pour l'ensemble de l'humanité et fit un long développement sur les transformations survenant dans la galaxie, dans l'univers, sur le plan des énergies, et comment cela affecterait la terre. Il nous donna des détails sur ces altérations prochaines du mode vibratoire, et sur l'impact qu'elles auraient sur la destinée humaine; il nous expliqua comment les gens pourraient découvrir la joie au milieu de ces transformations. Il s'interrompait quelquefois et, comme s'il lui donnait la réplique, Da-Ben, le guide de Duane, poursuivait là où s'était arrêté Orin, sans le moindre temps mort.

Ils nous dirent en substance que dans les cinq prochaines années, de nombreuses personnes deviendraient des transmetteurs, et qu'elles seraient plus nombreuses encore à se sentir appelées à entrer en contact avec leur guide dans la décennie. L'humanité, nous disaient-ils, s'éveillait à son identité spirituelle, et cela se traduirait par un désir de plus en plus intense de croître, d'évoluer spirituellement. Beaucoup de gens auraient besoin d'être guidés dans cette ouverture spirituelle, et aussi pour comprendre comment utiliser ces nouvelles énergies à leur disposition. Une « lueur spirituelle » apparaissait dans l'aura de l'humanité. Il allait devenir possible pour un grand nombre d'atteindre un degré supérieur de conscience, de trouver une révélation.

Orin et Da-Ben pensaient que le channeling — le contact avec des guides évolués et la transmission par la parole de leur enseignement — serait l'une des clés pour cette ouverture spirituelle, qu'on pourrait trouver par ce moyen un fil conducteur pour faire de nouvelles expériences. C'est ainsi qu'ils nous proposèrent d'enseigner le channeling, avec leur assistance. Selon eux, la période qui

commençait serait axée sur la prise de conscience et
l'expérience directe du pouvoir à disposition de chacun.
Les êtres humains allaient apprendre à se fier à leur guide
intérieur et, dans de nombreux cas, ils s'ouvriraient à la
transmission de façon tout à fait naturelle. C'est en eux-
mêmes qu'ils trouveraient la présence et l'enseignement
d'un maître, et non pas à l'extérieur. L'important pour Da-
Ben et Orin était de s'assurer que les gens disposent bien
des moyens leur permettant d'entrer en contact avec des
guides supérieurs, donc qu'ils apprennent à reconnaître
leur niveau d'évolution et qu'ils n'utilisent la transmission
qu'à des fins spirituelles.

Ils nous suggérèrent donc de proposer des cours de
channeling et nous demandèrent de consacrer les trois
mois suivants à nous y préparer. Nous pouvions compter
sur leur assistance tant pour la teneur de cet enseignement
et le thème des méditations préparatoires que pour la
marche à suivre pour conduire les cours eux-mêmes. Si
nous leur donnions notre accord, ils nous demandaient de
prendre un engagement sur deux ans pour élaborer ce
projet, car ce délai leur était nécessaire de leur côté pour
mettre toutes les choses en place. Après quoi nous pourrions réexaminer notre désir de poursuivre dans cette voie.

A cette époque, sous la direction d'Orin, je donnais une
série de cours sur l'évolution spirituelle intitulés « Terre,
Etre Vivant », destinés à permettre, à moi comme à ceux
qui les suivaient, d'atteindre un degré supérieur de
conscience. Rétrospectivement, je m'aperçois que ces
cours, qui incitaient à vivre en accord avec l'énergie des
plans supérieurs, à ouvrir son coeur, se délivrer des
attitudes négatives et découvrir son but essentiel, étaient
une excellente préparation à la transmission. Tous les
élèves de ce cours ne poursuivirent pas avec le channeling,
mais beaucoup d'entre eux, sous l'impulsion de ces principes, perçurent mieux la présence de leur guide, de leur
être essentiel, et se mirent en quête d'un contact plus
solide avec cette présence. La matière de cet enseigne-

ment fit l'objet des deux livres d'Orin « Living with Joy » et
« Personal Power through Awareness ».

Jusqu'à ce lendemain de Thanksgiving, Duane et moi
n'avions jamais songé à coordonner nos talents pour
travailler ensemble. Mais dès lors, plus nous y pensions et
plus cela devenait évident. Cette proposition d'enseigner la
transmission se présentait à nous comme un grand défi. En
étions-nous capables ? Et nos guides ? Bien sûr, nous
savions qu'Orin et Da-Ben pouvaient aider des individus à
connecter leurs guides, puisque nous en avions fait
l'expérience, mais de là à enseigner à tout un groupe de
personnes le moyen d'y parvenir... Dans le passé, il avait
fallu des mois de travail assidu pour aider une personne à
établir le lien avec un guide et maintenant, Orin et Da-Ben
nous proposaient d'obtenir ce résultat dans la seule durée
d'un séminaire de week-end.

Nous nous demandions s'ils n'étaient pas trop optimistes. Dans notre entourage, on considérait généralement la
transmission comme une chose difficile, réservée à
quelques personnes un peu « spéciales », qu'il fallait des
années d'entraînement, ou bien que cela ne pouvait con-
cerner que ceux qui disposaient de dons psychiques
particuliers. D'autres pensaient que les guides supérieurement évolués n'intervenaient qu'en de rares cas précis et
qu'il valait mieux ne pas chercher à provoquer par soi-
même ce genre de contact. Et pourtant Orin et Da-Ben
nous assuraient que dans cette importante transition
planétaire du moment, un grand nombre de guides de haut
niveau étaient prêts à nous venir en aide et désiraient le
faire. Si dans le passé, nous disaient-ils, la transmission
n'était possible qu'après un entraînement long et spécial,
ou seulement permise aux êtres nés avec ce don, c'est
aussi qu'il n'y avait jusqu'alors pas beaucoup de guides
disponibles; mais à présent, pour diverses raisons — ces
changements dans l'aura de l'humanité et dans le mode
vibratoire de la terre elle-même — la connexion avec un
guide et la transmission devenaient possibles pour un

grand nombre de personnes. Orin et Da-Ben affirmaient que la transmission est un art qui peut s'apprendre, pourvu qu'on en ait l'ardent désir. Pas besoin d'années de méditation, de facultés parapsychologiques, ni d'avoir été médium dans une vie antérieure. Ils voulaient enseigner comment demeurer conscient pendant la transmission; de cette façon, le canal peut être à l'écoute de ce qui s'exprime par sa voix, et reste en mesure de juger de la qualité de son guide. Ainsi est-il réceptif à la sagesse supérieure des guides et peut-il progresser spirituellement. Selon nos guides, il n'y aurait aucun danger à solliciter le contact avec des guides supérieurs en suivant les façons de procéder dont ils nous instruiraient.

Duane dit à Da-Ben qu'il avait besoin de vérifier tout cela de façon tangible et probante, faute de quoi, selon ses propres mots, « il n'était pas d'accord ». Il lui fallait être sûr et certain que quiconque ayant un réel désir de transmettre puisse apprendre à le faire, ainsi que l'affirmaient nos guides. Un mois s'écoula, chargé d'hésitation. Etait-ce possible ? Pouvions-nous apprendre à tout un groupe, dans la seule durée d'un week-end, à s'ouvrir à cette dimension supérieure et à établir le contact avec des guides élevés ?

Avant de nous donner de nouvelles directives, Orin et Da-Ben nous laissèrent le temps de répondre par nous-mêmes à ces interrogations et à ces doutes. C'était à nous de faire ce travail. Ils préfèrent que nous ne fassions appel à eux que lorsque nous avons épuisé nos propres ressources. Selon notre expérience, loin de limiter l'initiative individuelle, les guides la stimulent et l'encouragent. Nous décidâmes de donner ces cours et de voir ce qui arriverait. Orin et Da-Ben disaient qu'il suffisait aux gens de peu de temps pour établir la connexion et que c'était bien plus facile qu'ils ne croyaient. Ils voulaient simplement que nous aidions nos élèves à franchir le seuil. A mesure que nous résolvions nos propres problèmes, la façon de procéder et la structure même du cours apparaissaient tout naturellement, sous la conduite de nos guides. Pour finir, nous fûmes d'accord pour proposer cet enseignement dans la mesure où le public s'y intéresserait. La promenade en bateau sur le lac, nous ne l'avons jamais faite, mais le bébé de nos amis naquit bien ce lendemain de Thanksgiving. C'était un nouveau commencement pour chacun de nous.

· Le premier stage fut un énorme succès. Tous les participants apprirent, bel et bien, à transmettre; et pendant les deux années qui suivirent, nous avons donné cet enseignement à plusieurs centaines de personnes. Nous avons à présent l'assurance que la transmission est un art que l'on peut apprendre. Ces personnes venaient de tous les horizons; les professions les plus variées étaient représentées; tous les âges aussi, de dix-huit à soixante-dix ans. En tous points comme nos guides l'avaient annoncé : sans des années de méditation, ni de préparation spéciale, ni d'expériences psychiques antérieures, et même dans certains cas, sans grande idée de ce en quoi le channeling pouvait bien consister au juste. Tout ce que ces gens avaient en commun était un intense désir d'entrer en contact avec un guide.

Ils établirent ces connexions avec des guides de haut niveau, et avec beaucoup plus de facilité qu'ils ne l'imaginaient. Nous sommes restés en relation avec nombre d'entre eux; nous avons suivi leurs progrès et leurs transformations. Ils nous ont posé beaucoup de questions. Ils nous ont enrichis de leurs observations pénétrantes, nées de leur confrontation avec les doutes, les défis, les résistances, les découvertes, les espoirs et les rêves qu'ils rencontraient à mesure qu'ils continuaient à transmettre. A travers toutes ces expériences, les leurs et les nôtres, et toujours avec l'aide indéfectible d'Orin et de Da-Ben, nous avons approfondi la façon de devenir des transmetteurs clairs et conscients.

Par la suite, Orin et Da-Ben exprimèrent le souhait de transmettre cet enseignement par un livre. Ils voulaient que nous diffusions tout ce que nous avions appris, et les méthodes qu'ils nous avaient données, de telle façon que l'aide soit aisément disponible pour tous ceux qui désiraient devenir des transmetteurs. Nous vous présentons ici la méthode que nous suivons dans nos cours, mais revue et conçue spécialement par Orin et Da-Ben dans l'optique de ce livre, pour vous permettre d'entrer en contact avec votre guide sans le support des cours. Bien que nous ayons douté au début que l'on puisse apprendre cela par la simple lecture d'un livre, Orin et Da-Ben nous assurèrent que c'était parfaitement possible, affirmant que les guides faciliteraient l'établissement de contacts, et que beaucoup d'aide viendrait des plans supérieurs pour donner à un grand nombre l'opportunité de transmettre.

Très tôt Orin et Da-Ben nous avaient demandé de réunir des textes en un livre destiné à servir de préparation aux cours; ces textes constituent la plus grande partie du présent ouvrage. Nous nous aperçûmes que les gens faisaient circuler ce livre, et on nous rapporta qu'à sa seule lecture certaines personnes s'étaient spontanément ouvertes à la transmission. Une femme, par exemple, le lisait pendant un voyage en avion. Plutôt sceptique, elle posa le livre sur ses genoux en disant : « Si tu existes réellement, guide, dis-moi ton nom. » Aussitôt elle entendit une voix de nulle part lui dire un nom, en même temps qu'un flot d'énergie l'envahit. Elle changea sur l'heure d'opinion sur le channeling et se mit assidûment en quête du contact avec son guide spirituel. Bien d'autres personnes qui suivirent le processus décrit dans ce livre parvinrent à contacter leur guide.

Vous pouvez, vous aussi, devenir le channel d'un guide élevé. Vous aussi pouvez obtenir assistance et inspiration, et vous relier à cette source de sagesse. Si vous désirez cette connexion, commencez dès maintenant à la demander. Ce livre est conçu pour vous apprendre à transmettre, au moyen de récits d'expériences, de connaissances transmises et d'exercices. A mesure que vous poursuivez votre lecture, notez les points qui vous frappent le plus ou qui vous paraissent contenir un message spécial; que ces points soient les premiers messages envoyés par votre guide pour vous aider à établir le contact avec lui ou elle.

PREMIERE PARTIE
INTRODUCTION AU CHANNELING

1   BIENVENUE AU CHANNELING

Qu'est-ce que le channeling?

ORIN ET DA-BEN   *Bienvenue au channeling! Devenir un canal ouvert aux royaumes supérieurs vous fera faire un bond dans votre évolution, car la transmission est un puissant levier de croissance spirituelle et de transformation de la conscience. Par la transmission vous établissez un pont avec les plans supérieurs — une conscience collective plus riche d'amour, de charité, de sens, que l'on peut appeler Dieu, Ce-Qui-Est ou Esprit Universel.*

Par la transmission vous accédez à toute idée, tout savoir et toute sagesse qu'il est et qu'il sera jamais possible de connaître.

Quand vous transmettez, vous avez accès à ces royaumes supérieurs en établissant une connexion avec un guide de haut niveau, ou votre moi essentiel, qui abaisse son degré de vibration afin que vous y soyez plus facilement réceptif. La transmission implique une modification consciente de votre état d'esprit et de votre horizon mental pour parvenir à un état d'expansion de la conscience que l'on appelle « transe ». Pour atteindre cet état de transe, il vous faudra apprendre à vous concentrer, mettre de côté vos propres pensées, vous laisser guider par quelque chose de plus grand et prier votre guide d'établir le contact. En cet état de réceptivité, vous devenez un canal par lequel passe l'énergie supérieure que vous pouvez utiliser créativement.

La faculté innée d'atteindre ces sphères supérieures est en vous; vous êtes en contact direct avec elles dans vos moments d'inspiration, d'illumination intérieure et de créativité. Il se peut que vous ne puissiez pas y parvenir aussi souvent ni aussi aisément que vous le souhaitez. Les guides vous apportent leur secours pour développer ce don naturel qui vous permet d'être en relation avec les mondes supérieurs. Ils le font en vous envoyant un surcroît d'énergie, en vous offrant des opportunités d'aller dans de nouvelles directions, en vous servant de maîtres et d'interprètes, en vous montrant les moyens d'affiner votre faculté de vous mouvoir dans les plans supérieurs. Les guides peuvent vous aider à surmonter les obstacles au-delà desquels s'ouvre le chemin vers le but essentiel de votre vie.

> Votre guide est un ami
> toujours présent pour vous aimer,
> vous encourager et vous soutenir.

Votre guide vous encouragera et vous aidera à découvrir votre sagesse intérieure. Dans votre progression pour connecter votre guide, vous élaborez une relation plus solide, plus ouverte et plus pure, et aussi plus stable avec les plans supérieurs. Votre esprit sera directement irrigué par le courant d'une vibration supérieure, et vous aurez des perceptions intuitives plus fréquentes et plus sûres, vous ferez l'expérience intérieure de quelque chose en vous qui guide et qui sait.

La transmission est une voie vers plus d'amour; les plans supérieurs regorgent d'amour. Cette connexion vous stimulera, vous encouragera et vous soutiendra. Le but de votre guide est de vous rendre plus puissant, plus indépen-

dant et plus sûr de vous. Les qualités d'une relation parfaite — amour sans faille, totale compréhension, compassion sans limite — sont celles que vous trouverez chez votre guide.

*Le channeling vous donnera
le maître plein de sagesse que vous cherchez,
celui qui vient de l'intérieur
plutôt que du dehors.*

La transmission donne une compréhension plus grande, qui permet de trouver réponse à des questions telles que «Pourquoi suis-je ici?» ou «Quel est le sens de la vie?» Transmettre, c'est comme escalader une montagne pour voir de son sommet un vaste horizon. C'est un moyen pour mieux saisir la vraie nature de la réalité, pour apprendre à se connaître soi-même et à connaître les autres, pour voir sa vie dans une perspective plus globale et donc pour trouver une signification plus profonde aux situations dans lesquelles on se trouve plongé. Votre guide vous offrira son assistance pour trouver réponse à toute interrogation, qu'elle touche à de banals problèmes quotidiens ou aux questions spirituelles les plus énigmatiques. La transmission est un outil par lequel vous pourrez guérir, enseigner et développer votre créativité dans tous les domaines de la vie. En accédant aux plans supérieurs, vous pouvez transmettre beaucoup, en savoir et en sagesse, par des inventions ou des oeuvres d'art, par la philosophie ou la poésie, par des découvertes de toutes sortes.

Nous, Orin et Da-Ben, sommes des êtres de lumière. Notre plan d'existence se situe en d'autres dimensions, et notre but est de vous aider à devenir des transmetteurs ouverts et réceptifs à ces domaines supérieurs pour que vous puissiez évoluer plus rapidement. Nous avons pour vous un grand amour, et nous avons à coeur que votre croissance et votre élévation suivent des voies aussi faciles et joyeuses que possible. Nous avons élaboré cet ensei-

gnement dans le dessein de vous mettre en contact avec votre propre guide ou votre être supérieur.

Nous voulons faire en sorte que vous compreniez bien ce qu'est la transmission et comment vous pouvez développer cette faculté naturelle. C'est plus facile que vous ne l'imaginez probablement; et parce qu'ils sentent que c'est tellement naturel, certains ont peine à croire quand cela leur arrive pour la première fois qu'ils sont entrés en contact avec un guide ou leur moi essentiel.

Le contenu de ce livre vous aidera, que ce soit la première fois que vous vous posez des questions sur la transmission, ou que vous soyez depuis des années à la découverte de vous-même. Il vous apprendra à discerner les guides de haut niveau des entités moins évoluées, et à déterminer si l'avis que vous recevez d'un guide est ou non digne de foi. Il vous montrera comment entrer en contact avec le guide le plus élevé possible pour vous. Si tel est votre voeu, nous voulons, par tous les moyens dont nous disposons, vous offrir la possibilité de devenir vous-même un channel.

Les guides élevés vous encouragent à vous en remettre à votre guidance intérieure, même plus qu'à leur avis.

Nous vous invitons, au fur et à mesure que vous lisez ce livre, à n'accorder d'importance qu'aux informations qui trouveront un écho au plus profond de votre être, et à rejeter toutes les autres. Ayez confiance en vos messages et perceptions intérieurs. Vous êtes un individu unique, irremplaçable, au potentiel illimité. Nous vous invitons à découvrir plus pleinement votre dimension divine.

Ce que le channeling peut et ne peut pas faire pour vous

ORIN ET DA-BEN   *Transmettre vous permettra de faire changer les choses. Cela ne veut pas dire que vous n'aurez plus de conflits, si vous continuez à choisir le conflit. Cela veut dire que vous pouvez choisir d'apprendre les moyens de faire les choses sans effort. Cela ne veut pas dire que les choses vont venir à vous d'elles-mêmes, que vous pouvez simplement ne rien faire et attendre. Cela veut dire que vous pouvez gagner une perspective plus large sur ce que vous vous proposez de faire et trouver des moyens plus faciles d'y arriver. Si vous suivez les conseils de votre guide et persévérez dans la transmission, des changements s'opéreront dans votre nature émotionnelle et vous éprouverez moins fréquemment des sentiments de dépression, d'anxiété ou de lourdeur.*

Les guides de haut niveau ne vous prennent ni en charge ni en otage.

Transmettre ne résoudra pas tous vos problèmes. Cela changera seulement votre façon de vouloir vous changer vous-même. C'est vous qui aurez à faire usage des paroles de sagesse. C'est vous qui aurez à vous mettre en action, à faire le travail et à le livrer au monde. Vous demeurerez responsable de votre vie. Le channeling n'est pas le remède miracle, ni la solution universelle. La transmission, ainsi que nous l'avons dit, ne fait que multiplier les occasions de croître et d'apprendre. Vous vous trouverez probablement confronté à la plupart de vos vieux problèmes, que vous résoudrez enfin. Bien que ces expériences ne soient pas très agréables au départ, il en sort en définitive plus de joie et de pouvoir. Soyez attentif aux petits changements. Vous verrez vos efforts récompensés au-delà de vos espérances. Vous pourrez constater que l'effort le plus léger soit-il pour suivre les indications proposées par votre guide amènera résultat et satisfaction. Les récompenses ne se présenteront pas obligatoirement sous la forme escomptée, aussi attendez-vous à d'agréables surprises.

Transmettre vous aidera à mieux vous aimer vous-même.

La transmission ne vous garantit pas que les gens vous aimeront, pas plus qu'elle ne vous garantit succès et renommée. Mais elle vous permettra, quoi qu'il en soit, de mieux comprendre les autres, avec plus de compassion. Vous serez en mesure de porter sur vous-même un regard objectif, libre de vos préjugés habituels; vous apprendrez ainsi à mieux vous aimer vous-même. Vous pourrez saisir plus amplement et plus clairement votre dynamique intérieure. En suivant la meilleure ligne dynamique, il se peut, de fait, que vous trouviez renommée, reconnaissance et popularité, mais cela n'aura alors plus la même importance que par le passé.

Quel usage pouvez-vous faire de votre transmission ?

ORIN ET DA-BEN   A côté de la sagesse éclairée et de l'orientation personnelle que leur offre la transmission, bien des gens s'en servent en outre dans leurs projets créatifs, tels qu'écrire des pièces, des musiques, des paroles de chansons; ou dans la peinture, la sculpture, la céramique, dans des productions manuelles de toutes sortes. Les guides de certaines personnes les assistent dans leur tâche de conseil, d'enseignement, de thérapie, de guérison ou de travail sur le corps. Il y a des artistes qui utilisent l'état de transe et la vibration supérieure de leur guide pour accroître leurs facultés créatives en jouant, en dirigeant ou dans des prestations de toutes sortes. Chaque guide et chaque connexion sont différents, particuliers, uniques. Tel guide est poète, tel autre, source d'inspiration, tel autre instructif. Certains d'entre vous se découvriront l'aptitude à être un channel pour transcrire des livres ou simplement à écrire avec tant de facilité que leurs livres leur sembleront être «tombés tout écrits» sous leur plume, car la transmission est tout particulièrement en affinité avec l'écriture. En transmettant, vous êtes en contact avec une source constante et stable d'inspiration et de connaissance.

La transmission stimule puissamment la créativité.

Des artistes nous disent qu'en maintenant une transe légère ils peuvent garder le contact avec leurs guides et transmettre les yeux ouverts. Ils ont des visions de leurs peintures ou sculptures avant de se mettre au travail. Certains artistes sentent leur main agir instinctivement pour produire les oeuvres qu'ils ont visualisées. Beaucoup ont éprouvé un état de conscience légèrement altéré dans lequel ils se sentent plus détendus et plus sensibles à une richesse d'impressions qui vient d'au-delà leur état normal.

Après avoir appris à transmettre, bien des musiciens découvrent qu'ils composent avec plus de facilité. Le sens profond de leur style personnel se révèle. D'autres réalisent que l'état où ils se trouvent en créant leur musique est en fait un état de transe naturelle. La connexion avec leurs guides élève et affine cet état, et donne plus de force et de stabilité au courant de leur inspiration. Certains ont trouvé que l'état de transe leur permettait de mieux suivre le flot de leur musique, laissant s'exprimer l'intuition plus que l'intellect. Un musicien connu enregistra seize morceaux, par transmission, dans des périodes différentes; au premier essai qu'il fit pour les réunir, ils allaient parfaitement ensemble.

Beaucoup de gens ont utilisé cet art d'être en accord avec la sagesse supérieure pour trouver l'exercice, le régime, l'alimentation, la discipline mentale qui leur convenaient le mieux. Nous vous invitons à découvrir par vous-même tous les modes différents par lesquels vous pouvez utiliser cette connexion avec les plans supérieurs.

Comment savoir si vous êtes prêt

ORIN ET DA-BEN Les gens qui deviennent de bons transmetteurs aiment avoir leur libre arbitre, sont indépendants, et enclins à prendre leur vie en charge. Ceux qui deviennent habiles dans cet art ont souvent l'esprit curieux et vif. Ils sont pénétrants, sensibles et proches de leurs sentiments. Ils sont de ceux qui aiment apprendre et s'ouvrir à de nouvelles disciplines, à de nouvelles connaissances. Les gens qui s'impliquent dans un domaine créatif, quel qu'il soit, sont de manière naturelle des transmetteurs — qu'ils soient écrivains, guérisseurs, thérapeutes, poètes, musiciens, artistes, concepteurs, graphistes ou autres. Les transmetteurs viennent de tous les milieux, de toutes les professions. Les qualités les plus estimables aux yeux des guides sont l'engagement, l'enthousiasme, la détermination à devenir un channel. Ceux d'entre vous qui sont intelligents ou intuitifs, qui aiment penser par eux-mêmes, qui valorisent la recherche de la vérité et discernent ce qui est du registre de la véritable sagesse, excelleront dans la transmission.

Les gens qui transmettent sont bons avec les autres. Ils sont francs et courageux. Ils s'enthousiasment pour les projets dans lesquels ils s'impliquent. Ils ont l'imagination vive, le goût du rêve et de la fantaisie. Ils se montrent toujours prêts à aller au devant des besoins d'autrui et prennent soin de leur famille et de leurs amis. Quelquefois, dans leurs relations, ils ont beaucoup de mal à distinguer un fait réel d'une projection, car la plupart du temps ils sont axés sur ce qui est potentiel plus que sur ce qui est manifesté chez les autres.

Les guides
vous aideront à gravir de nouveaux degrés
de pouvoir personnel et de croissance
spirituelle.

Celui qui est capable de faire les choses correctement est très estimé. Nous n'attendons pas de vous que vous soyez parfait dans vos oeuvres, puisqu'une part de notre rôle est de vous aider à mettre votre vie en ordre. Nous attendons que vous jugiez important d'accomplir la tâche de votre vie. Nous préférons lier contact avec ceux qui aimeront autant notre travail commun que si c'était seulement pour le plaisir. Nous cherchons ceux qui trouveront délicieuse l'opportunité d'établir cette connexion.

Les plus hauts guides viennent vers ceux qui utilisent et valorisent au mieux de leurs possibilités tout ce que la transmission leur rend disponible. Nous avons de l'intérêt pour les gens qui ont un intérêt persévérant et enthousiaste pour les questions spirituelles. En tant que guides de haut niveau, nous sommes là pour faire changer les choses, pour servir l'humanité, et pour coopérer avec vous dans une entreprise créative. Nous prenons notre engagement au sérieux et ferons tout ce qui est en notre pouvoir pour vous assister. Nous espérons que de votre part vous vous engagerez aussi dans notre coopération. Nous avons une haute estime pour qui consacre son temps et son énergie à notre oeuvre commune, car c'est le plus précieux présent que vous puissiez nous offrir.

Le désir de venir en aide aux autres, le fait d'être concerné par leur bien-être, sont également des points qui attirent les guides élevés. D'une manière ou d'une autre, transmettre est toujours servir, par une élévation de la qualité vibratoire du monde autour de soi. Tous ceux parmi vous qui aident les autres à leur manière — dans leur travail, leur vie personnelle, familiale ou leurs occupations créatives — sont à même d'attirer un guide de haut niveau. Au degré où vous aiderez les autres, vous-même vous croîtrez.

Ne soyez pas intimidé et n'ayez pas de doute sur votre capacité d'attirer un guide de haut niveau, car nous sommes nombreux, et tous là pour vous servir. Nous ferons tout ce qui est possible pour faciliter votre percée jusqu'à nous, sitôt que vous nous aurez montré que c'est là votre désir. Nous sommes désireux d'apporter une conscience supérieure à l'humanité et nous vous l'apporterons aussi à vous.

Les personnes qui transmettent se sentent davantage les pieds sur terre, équilibrées, et savent mieux se prendre en charge.

Certains craignent, s'ils apprennent à transmettre, de trop « planer », de perdre le contact avec la réalité. Ils nous disent qu'ils ont déjà beaucoup de difficulté pour s'occuper des détails de la vie matérielle et que, ce dont ils ont besoin, c'est d'avoir les pieds sur terre. Nous avons observé que le channeling a aidé les personnes à être plus ancrées dans la réalité, plus centrées et beaucoup plus aptes à assumer leur vie quotidienne.

Certains craignent, s'ils se mettent à transmettre, ou s'ils contactent un guide, de perdre leur identité ou d'être « engloutis » dans la présence de leur guide. Les guides de haut niveau ne souhaitent en aucune façon prendre le contrôle de votre vie. La transmission n'est pas une reddition sans condition. Les guides ont leur propre vie et leur intention est d'être à votre service dans votre recherche spirituelle. Non seulement vous conserverez votre identité, mais il est fort probable que le sens que vous en avez s'en trouve grandement rehaussé. Vous serez, très certainement, capable de définir et de poser clairement vos propres limites dans vos relations comme jamais vous ne l'avez fait dans le passé. Loin d'être contrôlé par les guides, vous vous connaîtrez vous-même, en leur présence, comme une personne plus forte, équilibrée, claire. Il y a le cas d'un homme, qui appréhendait que les limites de sa personnalité ne se dissolvent, que son guide ne le contrôle. Après avoir appris à transmettre, il reconnut que plus que jamais il se sentait tenir en main les rênes de sa vie et capable de conserver son intégrité.

Certains craignent, s'ils s'ouvrent au domaine supérieur, d'être la proie d'entités basses ou négatives. En réalité, vous n'êtes pas vulnérable car vous reconnaîtrez aisément les basses entités à leur négativité; il vous faut simplement rester ferme et leur demander de partir. Vous pouvez également faire appel à nous, Orin et Da-Ben, ou à un maître élevé, comme le Christ ou votre ange gardien. Ces êtres sont de loin plus puissants que n'importe quelle basse entité. Dès que vous aurez demandé le contact avec un guide élevé, il commencera à vous protéger, que vous soyez ou non conscient de transmettre. Nous vous demandons simplement, et vous avertissons, de ne pas jouer avec ces entités par curiosité futile.

> Vous pouvez connecter un guide élevé.
> Votre désir et votre détermination
> sont seuls requis pour cela.

Si vous êtes intéressé par la métaphysique, si vous avez lu des livres écrits par transmission, des livres d'auto-méthodes, de science-fiction ou de psychologie, et si vous aimez les idées que vous y avez trouvées, vous êtes apte à connecter un guide de haut niveau. Si vous êtes attiré par des choses qui ne sont pas communément admises par la masse, s'il ne vous déplaît pas d'être en marge, si vous êtes impliqué dans un mouvement d'avant-garde, alors vous êtes prêt pour le channeling. En entreprenant cette recherche, votre aptitude à maintenir un état de transe, votre concentration mentale, votre bonne santé physique et votre stabilité émotionnelle seront des atouts pour devenir un channel clair et gravir des degrés supérieurs de sagesse.

Bien que la transmission entraîne des répercussions immédiates sur votre vie, elle nécessite d'être pratiquée pour devenir pleinement utile. Ceux qui deviennent habiles en cet art sont ceux qui réservent beaucoup de temps à la pratique régulière de cette discipline. De même qu'on ne devient pas un pianiste soliste en une leçon, ceux qui parviennent à un lien clair et à une solide connexion avec leur guide s'appuient sur une pratique régulière.

En définitive, vous êtes seul à savoir si vous êtes prêt ou pas. Faites votre examen, posez-vous ces questions : « Ai-je un désir profond de devenir un canal, de contacter mon guide ? Est-ce que je ressens une urgence intérieure ou un appel qui m'attire dans cette direction ? » Soyez à l'écoute de vos perceptions intérieures.

Peut-être êtes-vous plus prêt que vous ne le pensez

ORIN ET DA-BEN   C'est généralement par étapes que l'on s'avise de la présence de son guide. Au cours des premières phases, vous pouvez ne pas être conscient de cette présence. Elle peut se manifester à vous dans vos *rêves. Vous pouvez par exemple rêver que vous allez à l'école ou que quelqu'un s'adresse à vous pendant la nuit pour vous donner des instructions, un enseignement. Il se peut que les gens vous demandent si vous avez un guide ou vous amènent à y penser. Vous pouvez tomber sur des livres écrits par transmission ou qui parlent des guides.*

Les guides vous contactent souvent dans vos rêves.

Pendant les premières étapes de votre préparation, vous commencerez peut-être à vous sentir insatisfait de votre vie, de vos relations, ou de votre travail, parce que vous éprouverez le besoin d'y trouver plus de signification et de plénitude. Vous voudrez probablement mieux discerner le chemin de votre recherche spirituelle et la forme que revêtira le travail de votre vie. Vous pourrez vous sentir gagné par le souci croissant d'enseigner ou de guérir, et vous mettre en relation avec des gens qui sont dans le domaine de la guérison ou de la thérapie. Vous pourrez vouloir vous mettre à écrire, à travailler avec les médias, à faire de la musique ou à rencontrer de nouveaux amis. Il se peut que vous soyez lassé par d'anciennes amitiés qui au début vous stimulaient, que vous jugiez moins intéressantes des activités sociales ou autres qui jusque là vous plaisaient. Vous éprouverez peut-être le besoin de trouver un sens supérieur à vos occupations, et le sentiment que vivre la vie sans un sens de but n'est plus aussi agréable que par le passé. Vous pourrez sentir que quelque chose d'important se prépare, que vous êtes dans une phase de transition. Vous pourrez être à la recherche de quelque chose de nouveau, en étant cependant incertain de ce que ce sera.

Peut-être avez-vous atteint certains de vos objectifs sans toutefois y avoir trouvé la satisfaction escomptée, et vous demandez-vous que faire qui puisse réellement vous rendre heureux. Peut-être savez-vous déjà quelle est votre voie et ressentez-vous le besoin d'expériences plus concrètes ou plus significatives dans cette direction. Peut-être vous sentez-vous prêt pour aller vers des degrés supérieurs de conscience et souhaitez-vous un contact plus net avec les niveaux supérieurs.

Transmettre vous aidera à découvrir votre but essentiel.

Certaines personnes font des expériences saisissantes, par lesquelles elles s'ouvrent. Il leur arrive des choses auxquelles elles ne trouvent aucune explication rationnelle, comme la prémonition d'un événement qui se produit plus tard, la visite d'un nouveau lieu qui pourtant semble étrangement familier, une expérience de sortie du corps ou des rêves prémonitoires. D'autres se disent entraînées dans un courant — des séries de coïncidences, des portes qui s'ouvrent devant elles, des livres qui leur tombent entre les mains. De nouvelles personnes viennent à leur rencontre et leur vision globale de la réalité commence à changer. Certaines personnes qui ont fait du yoga et de la méditation, qui ont étudié les religions orientales ou participé à des séminaires du Nouvel Age, comme le « Contrôle mental Silva », se demandent « Qu'est-ce qui va suivre ? », et sont amenées à en apprendre de plus en plus sur leurs aptitudes à guérir ou à transmettre. Il y a des personnes qui n'ont même pas beaucoup réfléchi au sujet des guides, qui un jour lisent un livre sur les guides ou le channeling et qui soudain veulent irrépressiblement en apprendre plus sur ce sujet. Elles ont l'intuition que cela leur apportera le levier à la recherche duquel elles se trouvaient dans toutes leurs expériences précédentes.

Demander un guide en attire un à vous.

A mesure que vous franchissez des étapes, votre sensibilité aux plans supérieurs augmente. Il vous semble que *les idées vous viennent d'au-delà de vous-même. Vous découvrez que vous savez des choses que vous ne croyiez pas savoir avant. Vous percevez peut-être qu'une énergie d'une tonalité supérieure ou différente de votre perception habituelle vous anime. Ce qui se passe en fait, c'est que vous commencez à faire l'expérience consciente des dimensions supérieures. Si vous sollicitez l'assistance d'un guide, il en viendra un vers vous. A ce stade, la connexion avec le guide peut s'établir le plus souvent pendant que vous rêvez ou à des moments inattendus, de manière spontanée.*

Vous pouvez à un certain moment faire un rêve frappant vous rendant conscient que votre guide vous a contacté. Vous pouvez prendre conscience de la connexion avec le moi profond ou un guide à travers le Tarot, une planche de Oui-ja, l'écriture automatique ou la méditation. Pendant vos méditations, vous pouvez avoir des perceptions intérieures d'une sagesse plus grande que vous n'en aviez avant. On peut utiliser beaucoup de méthodes différentes pour initier la connexion; il n'existe pas un procédé spécial pour se préparer à transmettre. C'est dans l'expérience individuelle que réside la préparation : elle est différente pour chacun.

En général, ceux qui ne sont pas prêts à transmettre s'en rendent très bien compte et il leur paraît évident que le channeling n'est pas pour eux. Il se peut qu'ils manquent de préparation au niveau de l'âme. Il se peut qu'ils n'aient pas une vue suffisamment globale des choses pour comprendre que la possibilité de transmettre existe. Leur scepticisme a pour raison d'être de les tenir à l'écart tant qu'ils ne sont pas prêts. Ce ne serait pas approprié pour eux au stade actuel de leur vie, aussi ne cherchez pas à convaincre ceux qui sont trop sceptiques d'essayer cette voie.

A mesure que se renforce le lien qui vous unit à votre guide, vos pensées iront de plus en plus souvent vers la transmission, la jonction avec le moi essentiel. Peut-être vous arrivera-t-il de prendre une consultation auprès d'un autre guide; ou bien d'aller assister à une séance de transmission, de lire quelque chose au sujet de tel ou tel guide, ou d'entendre l'enregistrement d'une transmission, ou d'en voir une vidéo. Bien que vous puissiez encore avoir des doutes et des interrogations sur le channeling, vous découvrirez la valeur de votre expérience en ce domaine et serez impatient d'en savoir plus. Si vous êtes prêt, le seul fait de penser au contact avec votre guide vous causera une sensation d'impatience et d'exaltation. Une certaine anxiété à cette perspective, des doutes quant à vos aptitudes, sont le signe de l'importance croissante que cette question revêt pour vous plutôt que des indications sur vos capacités à connecter un guide.

2   TRANSMETTRE EN ETAT DE TRANSE

Qu'est-ce qu'un état de transe?
Comment l'atteindre?

ORIN ET DA-BEN   *Ce qu'on appelle transe est l'état de conscience dans lequel on peut entrer en connexion avec un guide. Il y a bien des manières de décrire l'expérience de l'état de transe. En général les descriptions le font apparaître comme plus compliqué qu'il ne l'est en fait. C'est le même problème que pour décrire avec exactitude l'état d'esprit requis pour conduire une voiture, jouer d'un instrument de musique ou pratiquer un sport. Une fois que vous avez fait l'expérience de l'état de transe, vous vous en souvenez et vous pouvez la reproduire aisément. La plupart des gens trouvent qu'atteindre cet état est plus facile, plus subtil et bien différent de ce qu'ils croyaient.*

Les moments où l'inspiration vous vient sans effort sont similaires à l'état de transe.

La plupart d'entre vous ont déjà eu de brèves expériences similaires à l'état où l'on se trouve en transmettant. Par exemple, en parlant à un ami qui a besoin d'aide, vous vous sentez relié à un courant de sagesse et vous dites des choses qui vous surprennent vous-même. Dans les moments où vous éprouvez un profond sentiment d'amour pour quelqu'un, où vous êtes saisi par la majesté d'un coucher de soleil, par la splendeur d'une fleur, où vous êtes absorbé dans une prière fervente, se trouvent tous les éléments de cet état de conscience. Quand une voix intérieure très claire semble vous venir d'un niveau bien au-dessus de vos préoccupations habituelles, quand dans un cours que vous donnez vous vous sentez subitement inspiré, quand vous suivez une impulsion à tenir des propos d'une intelligence qui vous surprend, quand vous portez remède à une situation d'une manière nouvelle, dans toutes ces expériences vous pouvez trouver les éléments vous permettant de saisir à quoi ressemble l'état de transe.

> En état de transe, il vous semble soudain
> être devenu très sage.

La transmission crée des changements subtils dans votre perception de la réalité. Les réponses aux questions semblent venir d'elles-mêmes, simples et évidentes. Au début cela peut même vous donner l'impression que c'est vous qui imaginez ou inventez les mots et les pensées. Vous vous sentez en état de concentration. Ne cherchez pas à vous débarrasser de votre mental, mais servez-vous en activement pour franchir de nouveaux degrés.

La transmission provoque en général des modifications dans la respiration et peut s'accompagner au début d'une sensation inhabituelle dans la partie supérieure du corps. On peut sentir de la chaleur dans les mains ou une augmentation de la température corporelle. Mais c'est toujours une expérience individuelle. Certains éprouvent une absence étrange de sensations physiques. Après un peu de pratique de la transmission, vous vous accoutumerez aux sensations physiques qui l'accompagnent, et d'ailleurs des sensations bizarres ne se produisent que rarement. Certains pourtant se plaignent qu'elles leur manquent dès qu'ils sortent de transe. De temps en temps, en atteignant *de nouveaux niveaux, vous pourrez ressentir un picotement dans la nuque ou au sommet du front. Certains ont des sensations le long de l'épine dorsale ou une tension, comme un bandeau d'énergie, autour du front. Pendant la transmission, votre voix peut se modifier dans son rythme et sa tonalité, devenant peut-être plus lente et plus profonde.*

SANAYA ET DUANE   Les variations de l'état de conscience peuvent être mises en relation avec des niveaux différents de relaxation ou de vigilance. En une journée, on passe par des états de conscience divers et nombreux. Le réveil et l'endormissement, par exemple, sont reconnaissables en tant que phases différentes. Tel type d'activité entraîne un état de conscience distinct. La qualité de votre attention n'est pas la même quand vous regardez un film, quand vous faites un travail difficile, quand vous conduisez sur l'autoroute ou quand vous pratiquez un sport très actif. On peut identifier chacun de ces différents états en fonction de la vigilance particulière, du degré d'implication avec l'environnement, du niveau de détente ou d'attention, des sensations physiques, des émotions et des pensées qui l'accompagnent.

Une conscience de veille normale est en alerte vis-à-vis du monde environnant et comporte en général un haut degré de bavardage mental. A cette extrémité de l'échelle de relaxation se trouvent des activités telles que penser, faire des projets, se tracasser. Quand on se relaxe, en écoutant de la musique, en regardant la télévision, en prenant un bain ou en se promenant dans la nature, on peut se rendre compte que la qualité d'attention aux choses environnantes va d'une semi-vigilance à une rêverie où elle se relâche. A mesure qu'on va vers une relaxation plus profonde, on devient de moins en moins attentif aux choses autour de soi, pour finir par s'endormir.

Pour transmettre, il faut atteindre un état de détente légère où l'on peut orienter son attention vers le dedans et vers le haut, pour être réceptif aux messages qui viennent des plans supérieurs. Dans cet état on est en général vigilant au son. Parfois même les sensations auditives semblent amplifiées. Dans une relaxation très profonde ou dans une phase de concentration intense, on peut être si absorbé dans ce qu'on fait qu'on devient complètement imperméable à l'environnement. On peut être accaparé au point de sursauter si quelqu'un entre dans la pièce à l'improviste. Cependant, il est possible de se rappeler ce qu'on entend et d'être conscient des sons, en état de relaxation profonde ou légère, aussi est-il préférable de ne pas déterminer si vous êtes en transe par votre degré de vigilance ou d'attention.

Au début, quand vous entrez en transe, vous pouvez en fait être beaucoup plus attentif aux choses qui vous environnent, particulièrement quand vous rencontrez votre guide, parce que vous cherchez consciemment à établir un contact et que votre voix s'active. Néanmoins, petit à petit, ce qui vous entoure va sembler moins important et vous pouvez apprendre à ne pas vous laisser distraire par les bruits extérieurs. Dites-vous ceci : « Quel que soit le bruit que j'entends, il peut m'aider à me maintenir en transe. »

Avoir une expérience préalable de la méditation est utile mais pas indispensable. L'espace méditatif et celui de la transmission sont l'un et l'autre atteints à partir d'une relaxation et d'une concentration intérieure, bien que l'intention et le processus mental et spirituel ne soient pas les mêmes dans les deux cas. Dans la méditation profonde on cherche rarement à se souvenir, ou à se servir de sa voix, et de ce fait c'est donc principalement une expérience d'images, d'énergie et d'impressions.

Parmi ceux qui méditent, beaucoup ont déjà eu accès à l'espace de la transmission. Mais, à moins d'être à la recherche d'un guide, ils traversent ce niveau et poursuivent leur méditation en passant par d'autres niveaux plus profonds, et les traversent tous en sens inverse pour sortir de leur méditation. C'est souvent durant la traversée de ce niveau qu'ils trouvent consciemment des messages intérieurs. Du fait que l'état de transmission est une transe plus légère que celui de la méditation profonde, il est souvent plus facile à atteindre que ne le croient les personnes habituées à la méditation. Pour transmettre, on apprend à orienter son esprit vers la direction où l'on peut se relier avec son guide — un peu comme si l'on cherchait une porte d'accès. Alors qu'il faut un temps assez long — un quart d'heure ou plus — pour atteindre un état de méditation profonde, une période plus courte — souvent moins de cinq minutes — suffit en général pour arriver au seuil de transmission.

Quand vous accédez à l'espace de la transmission, votre guide vous rejoint et vous aide à diriger votre énergie. Transmettre ne requiert pas un mental aussi calme et immobile que la méditation, mais plutôt la capacité de se concentrer et de focaliser. Arriver à cet espace de transmission ne dépend pas exclusivement de vous. Vous recevrez tout le concours de votre guide pour y parvenir, parce que vous avez fait la demande de cette connexion.

Où vous allez quand vient votre guide : choisir de demeurer conscient.

ORIN ET DA-BEN   *Certaines personnes abandonnent complètement leur conscience éveillée quand elles transmettent. Elles disent que transmettre est comme sombrer dans le sommeil et ne se souviennent de rien de ce qui est dit. Ceux dont l'attention consciente disparaît au cours de la transmission sont appelés des « channels inconscients ». Habituellement, ils entrent dans un état de relaxation si profonde qu'ils ne mémorisent rien des messages de leur guide. Ils sont en général réceptifs, au niveau de l'âme, à l'énergie de la transmission, mais pas aux mots exacts qui* sont prononcés, et sont incapables de rendre compte de ce que dit leur guide. Votre mémorisation dépendra de la nature de votre état de transe.

Certains demeurent partiellement conscients; parce qu'ils peuvent se souvenir, même en partie, de la transmission, on les appelle «channels conscients». Ils se rendent compte à un certain degré de l'information pendant qu'elle est donnée. Ils peuvent n'avoir qu'un sens vague du message reçu, et peu de mémoire de la nature exacte de ce qui transparaît. Pour certains, c'est comme se souvenir de ses rêves, dont la mémoire s'estompe assez rapidement. Ils peuvent se souvenir de l'information au moment où ils sortent de transe, mais l'avoir oubliée une heure après. Certains transmetteurs ont des transes très légères leur permettant de se souvenir de ce qui est dit et se rendent très bien compte de ce qui se passe durant la transmission. Mais pour la plupart des gens, ce qui se passe se situe quelque part entre une transe profonde et inconsciente et un état de totale attention.

Nous vous suggérons de demeurer conscient pendant la transmission. Si vous sentez le sommeil vous gagner, ou un relâchement, faites appel à votre volonté pour rester vigilant. Vous y parviendrez mieux si vous êtes bien reposé. Il n'y a pas de mal à être inconscient pendant la transmission, mais si vous êtes éveillé, vous êtes à même d'intégrer la sagesse et la lumière de votre guide dans le champ de votre conscient et de vous en servir pour apprendre et évoluer. Nous vous engageons à maintenir un certain degré d'attention à ce que vous dites pendant que vous transmettez.

Les channels conscients saisissent partiellement ce que leur guide est en train de dire.

Ceux qui sont capables de se souvenir de ce qui est exprimé au cours de la transmission, y perçoivent en général une richesse telle qu'elle surpasse la signification

*ordinaire des mots. Ils éprouvent une qualité de cons-
cience amplifiée dans laquelle les mots portent une charge
significative beaucoup plus puissante qu'on ne leur en
accorde ordinairement. Cela s'accompagne quelquefois
d'une sensation motrice. On sent parfois dans les mots un
courant d'aspiration vers une vibration supérieure. Certains
disent que transmettre est comme un rêve particulièrement
vivace, plein d'action, d'émotion et souvent de couleur. En
sortant de transe, cette richesse se dissipe. Certains disent
qu'ils se sentent comme un élément des mondes supérieurs. Il ressentent un genre d'expansion physique,
comme s'ils étaient bien plus grands que d'habitude. Pour
d'autres, les mots ordinaires deviennent des images se
mariant les unes aux autres en un langage intérieur plus
riche, plus dense. D'autres encore sentent comme des
« paquets » d'information tomber jusqu'à eux, contenant
des ensembles complets d'idées qu'ils déroulent petit à
petit pendant qu'ils livrent les messages.*

*Ceux qui deviennent habiles à maintenir leur cons-
cience de veille en atteignant un niveau de transe avancée,
rapportent que, loin d'être « sonnés » ou inattentifs, ils sont
en présence de quelque chose de tel que c'est comme s'ils
faisaient l'expérience directe des pensées-impulsions de
leur guide. Cela ressemble à un rêve dans lequel on est
très activement conscient. Ces pensées-impulsions, verbes
du langage d'énergie universelle, véhiculent des expériences, des images et des impressions qui sont bien au-
delà des possibilités d'expression de vos langues. Ceux qui
restent pleinement conscients observent à des degrés
divers la richesse de l'énergie au-delà des paroles,
pendant qu'ils font l'expérience simultanée du monde de
leur guide et du leur.*

*Au cours de la transmission consciente, vous pouvez
vous sentir dans un état de légère dissociation, en vous
rendant très bien compte, d'un côté, de ce qui se passe,
sans pouvoir, de l'autre, intervenir dessus. Beaucoup
disent que c'est comme s'ils pouvaient observer leur vie de*

deux points de vue en même temps : celui de leur guide et le leur propre.

Transmettre consciemment implique d'élever votre vibration pour sentir, entendre ou voir dans les mondes des guides.

Les expériences de transmission sont variées à l'infini. Il y a des raisons vraiment très nombreuses au fait que certains se souviennent de leur transmission et d'autres pas. Certaines personnes ne veulent surtout pas être inconscientes ou contrôlées, et restent très vigilantes au moindre changement qui se produit. D'autres sont naturellement sujettes à des transes profondes. Elles peuvent éprouver le besoin d'apprendre à demeurer conscientes durant la transmission pour éviter ce glissement dans l'engourdissement.

C'est une expérience enrichissante que de reléguer au second rang votre personnalité, vos pensées et vos sentiments pour être très présent quand votre guide parle. Certains pensent qu'ils ne peuvent réellement transmettre que s'ils sont inconscients, mais la plupart des transmetteurs savent, à un degré ou à un autre, ce qu'ils sont en train de dire. Un manque complet d'attention consciente est le cas le plus rare. Beaucoup de grands transmetteurs connus ont décrit les divers niveaux de conscience qu'ils traversaient pendant que leurs guides parlaient ou écrivaient à travers eux.

Au cas où vous aimeriez dès maintenant tenter une expérience de l'état de transe, référez-vous au chapitre 6 et faites les deux premiers exercices : « Parvenir à se relaxer » et « Maintenir une concentration focalisée ».

Nos expériences d'Orin et de Da-Ben

SANAYA   Mon expérience d'Orin est celle d'un être plein d'amour, d'intelligence, de douceur, avec une présence bien distincte. Il possède sagesse et largeur de vue, ainsi qu'une étendue de connaissances comme je n'en ai jamais connue, et de loin. Il y a en sa présence une richesse d'impressions qui va bien au-delà des mots qu'il prononce. Bien que je demeure consciente, je ne peux cependant pas agir sur les paroles qui passent à travers moi. Je peux m'arrêter sur elles, mais je ne peux y ajouter mes propres mots, ni modifier le message. Une semaine avant qu'il ne me dicte un livre, je peux le sentir organiser les idées et je deviens réceptive à des bribes, des fragments de ces idées qui flottent dans mon champ de conscience. Une fois qu'Orin a décidé d'un sujet à traiter en cours, je reçois des informations sur ce sujet à des moments inattendus, souvent quand je fais un footing ou quand je médite, ou encore quand je me prends à penser à ce cours.

Lorsque je transmets, je reçois un flot d'images, d'impressions, de figures, et j'entends mes propres pensées comme un commentaire au long de celles d'Orin. Quand Orin s'en va, ma mémoire de ce qu'il a dit s'estompe comme un rêve. Je peux me souvenir de l'idée générale jusqu'à un certain point, particulièrement si elle me concerne personnellement, mais je ne peux pas me rappeler le détail du message à moins de le réécouter. Il me semble que je suis plus réceptive à l'idée, au concept, au sens global, qu'aux phrases en elles-mêmes. Sauf au cas où intervient une discussion sur un point de ce qu'Orin vient de dire, j'ai peu de souvenirs par après. Quoi qu'il en soit, quand je transmets à nouveau Orin, lui se souvient mot pour mot de ce qu'il a dit aux gens, même après plusieurs années.

Mon état de transe est variable, il dépend du type de message que je relaie. J'entre dans une transe très profonde quand je transmets des informations pour un livre ou quand il s'agit de sujets ésotériques de nature universelle. Lorsque je transmets à l'intention des autres, ma transe est plus légère, du fait que ce type de transmission ne requiert pas la même quantité d'énergie de la part d'Orin.

DUANE   La façon de transmettre les messages que je reçois de Da-Ben change beaucoup selon le type de question posée et selon la personne qui pose la question. Les questions qui me mettent au plus grand défi d'en transmettre les réponses avec précision sont celles qui amènent des explications « scientifiques » de Da-Ben. Les questions qui se rapportent à l'énergie de vie ou à la nature de la réalité conduisent Da-Ben à m'envoyer une vague d'images ordonnées en de grands schémas, qu'il me faut alors déchiffrer. Ces schémas me mettent au défi de choisir parmi mon propre vocabulaire de mots et de concepts ceux qui les exprimeront au mieux. Lorsque je transmets des méditations guidées de Da-Ben, j'ai la sensation du courant de son énergie qui se dirige vers l'extérieur, vers ceux qui écoutent. Une fois la transmission finie, les gens, souvent, disent que c'était comme si on les avait emmené faire un tour dans quelque réalité plus grande, ou qu'ils se sentent beaucoup mieux et plus ouverts qu'avant la séance. Quand Da-Ben émet des informations générales sur la vie des gens ou sur divers sujets personnels, je me souviens très peu de ce qui est dit, bien que j'en retienne le sens général.

Mon expérience de Da-Ben est celle d'une puissante énergie radiante, aimante et exigeante, pleine de sollicitude. Ses connaissances sont détaillées et considérablement étendues. Certains de ses enseignements sont si complexes qu'il a dû me prêter assistance pour trouver de nouveaux mots à même de les exprimer. Il ne veut pas que j'interprète ses concepts, ni que je les simplifie, même si les gens ne peuvent les comprendre d'emblée. Parfois je ne les comprends moi-même que plus tard, quand, ayant réuni plusieurs transmissions scientifiques, je peux voir comment elles se complètent. Souvent je dois consulter mes livres de physique pour comprendre ce qu'il veut expliquer.

Je suis en un état de transe très légère quand je fais des passes sur les systèmes énergétiques des gens, principalement parce que je dois pouvoir me déplacer autour d'eux et tenir compte de mon environnement physique. Mes transes sont beaucoup plus profondes quand je transmets sur des thèmes généraux et quand Da-Ben conduit les gens en diverses expériences d'expansion de la conscience.

Bien que Da-Ben cherche à donner des informations précises quand il s'agit de répondre aux questions personnelles des gens, il est clair qu'il préfère travailler directement avec leurs énergies. A travers mon toucher, ou par transmission d'énergie, il aide les gens à atteindre des états d'énergie supérieure dans lesquels ils peuvent trouver eux-mêmes la réponse à leurs questions.

A la fin d'un channeling, je peux me souvenir de certains concepts qui ont été abordés, et c'est alors comme si mon esprit se mettait à fonctionner d'une nouvelle manière. Mais les détails spécifiques, eux, s'effacent très vite. Quand je relis des transcriptions de transmissions, je suis surpris par la quantité de renseignements qu'elles contiennent et dont la transmission ne me laisse pas le souvenir. C'est comme si je ne me rappelais que de quelques idées parmi les centaines qui sont comprimées dans les mots utilisés.

3 QUI SONT LES GUIDES?

Les guides de haut niveau

ORIN ET DA-BEN   *Les guides viennent d'une infinité d'endroits différents. Vous trouverez peut-être pratique de les classer ainsi : ceux qui ont eu une incarnation terrestre, ayant vécu au moins une existence sur la terre; ceux qui n'en ont pas eu et qui viennent de dimensions en dehors de la galaxie ou des étoiles, telle que la quatrième dimension; les Maîtres, comme Saint-Germain; les Anges, comme Michaël et Raphaël, ainsi que les anges gardiens; et les entités extra-terrestres venant d'autres galaxies et planètes. Il y a encore d'autres guides n'entrant dans aucune de ces catégories. Moi, Orin, ai vécu une existence terrestre, il y a bien longtemps en comptant selon vos années, aussi puis-je mieux comprendre l'existence physique. J'ai depuis lors évolué dans la lumière pure et l'esprit, sans corps physique. Da-Ben est également un être de lumière et n'a pas eu d'existence terrestre.*

> *Votre guide choisit de travailler avec vous en fonction d'une similitude de buts.*

Toutes les entités des mondes supérieurs ne choisissent pas de devenir des guides, tout comme parmi vous tous ne choisissent pas de devenir des transmetteurs. Le travail sur les autres plans de réalité est aussi varié que peut l'être votre travail sur terre. Les guides sont certains êtres très versés dans l'art de transmuter l'énergie de leur plan au vôtre. Il faut, de notre plan, une quantité énorme d'énergie pour percer jusqu'au vôtre, et c'est l'amour pur pour l'humanité et la consécration à lui donner un idéal supérieur qui le plus souvent poussent à le faire. Quand vous atteignez les mondes supérieurs, l'altruisme et le service sont des voies d'évolution rapide. Nous vous choisissons à cause d'une concordance de buts et parce que nous vous aimons.

Lorsque nous nous adressons à vous, d'autres sur notre plan peuvent apporter leur concours pour amplifier notre énergie, car notre substance est si ténue que la focalisation et l'amplification sont nécessaires pour vous atteindre. Notre vibration est si étendue et vaste que d'en réduire la fréquence au point qu'elle puisse résonner en vos esprits demande beaucoup de pratique, d'habileté et de fermeté d'intention. Nous ajustons nos processus de perception pour les mettre en adéquation avec vos systèmes conceptuels et vos modes de compréhension. Pour établir une connexion avec vous, nous devons être capables d'un travail à des niveaux très subtils et très ajustés sur l'énergie et sur nos champs électromagnétiques. Il y a différents degrés d'habileté dans cet art.

Si vous étudiez la métaphysique, vous trouverez la notion de plan causal. Le plan causal est une dimension vibratoire extrêmement élevée et subtile dans laquelle vous pouvez poursuivre votre existence après cette vie si vous avez suffisamment évolué et harmonisé vos énergies. La plupart des âmes vont sur le plan astral après la mort car elles ne sont pas encore assez évoluées pour vivre sur le plan causal. Beaucoup de guides élevés viennent de ce plan causal et d'au-delà, de ce qui est appelé réalité « multidimensionnelle ». Vivre sur ces autres dimensions requiert la maîtrise des polarités, un niveau avancé de contrôle des émotions et du mental, et l'habileté dans l'utilisation des énergies. Certains guides ont vécu sur terre, ont évolué rapidement, ont fait l'apprentissage de la maîtrise, sont maintenant de purs esprits sur le plan causal et poursuivent leur évolution dans le service de l'humanité. D'autres viennent des réalités multidimensionnelles et sont des êtres extrêmement élevés dans leurs propres systèmes.

Les guides peuvent apparaître sous de nombreuses formes.

Les guides peuvent apparaître à votre regard intérieur comme s'ils avaient une nationalité particulière, avec le costume approprié. Moi, Orin, apparais à Sanaya comme une flamme de lumière rayonnante tandis qu'elle transmets. Elle se rend compte de ma taille, environ deux mètres cinquante. Tout ce qu'elle peut voir si elle essaie de regarder mon visage est une vive lumière blanche. Je parais souvent vêtu de robes comparables à celles que portaient vos anciens moines.

Certains disent qu'ils voient leurs guides comme des couleurs, d'autres les perçoivent comme des sons, d'autres encore comme des ouvertures dans leur coeur. A mesure que vous serez accoutumés à regarder les plans de haute vibration, certains de vous pourrons voir leur guide plus clairement. Il y a des personnes qui revêtent leur guide des traits familiers d'un personnage qu'il connaissent, comme le Christ, le Bouddha ou les anges, qui représentent pour eux amour et sagesse. Les guides peuvent ressembler à des Indiens d'Amérique, des sages chinois, des maîtres indiens, ou apparaître comme l'un des Grands Maîtres, tel que Saint-Germain.

Les guides peuvent se manifester sous une apparence masculine ou féminine, bien qu'une telle polarité n'existe pas dans les mondes d'énergie pure; ils ne sont donc pas vraiment mâle ou femelle. Ils choisissent l'identité la mieux adaptée pour accomplir ce qu'ils ont à faire, ou celle qu'il vous sera le plus facile de rattacher à ce dessein. Si, par la nature de leur travail, ils veulent personnifier des qualités telles que la douceur ou l'amour maternel, ils revêtiront peut-être une apparence féminine. Souvent un guide qui veut représenter un rôle masculin prendra une apparence masculine. Certains adopteront, s'ils ont déjà vécu sur terre, les traits qu'ils avaient dans une existence précédente, et en utiliseront le nom. Il y a autant d'identités pour les guides qu'il y en a pour les humains, aussi demeurez ouvert quelle que soit la forme ou l'apparence sous lesquelles votre guide se présente à vous.

Certains guides sont purement intellectuels et veulent insuffler de nouvelles idées dans les sciences, la logique, les mathématiques, ou de nouveaux systèmes de pensées. Certaines entités venant des autres dimensions appartiennent à un monde d'essence au-delà de toute forme. Les mieux placés pour les transmettre sont ceux qui n'attachent pas trop d'importance aux formes, détails ou aspects particuliers de leur vie ou de leur travail, mais qui cherchent plutôt à travailler directement avec l'énergie, ou dans des domaines qui impliquent de faire l'expérience de l'essence de l'énergie. Si vous cherchez auprès de tels guides un avis précis sur le choix d'un lieu d'habitation ou d'une profession, vous serez sûrement très déçu. Mais si vous voulez travailler sur l'énergie par le toucher ou le travail sur le corps, ils pourront vous aider à obtenir des résultats surprenants. Si vous souhaitez connaître la nature de la réalité, ils seront à même de vous donner de grandes explications.

Même aux niveaux les plus élevés, les guides ont des talents et des domaines de compétence différents, tout comme vous. Certains excelleront à donner des avis concrets, résoudre des problèmes et vous aider dans votre vie quotidienne, d'autres à insuffler l'inspiration, à communiquer par leur enseignement des vérités spirituelles. Si vous posez à un guide une question sur un sujet hors de sa spécialité, il trouvera la réponse et vous la fera parvenir. Par exemple, si votre guide est versé dans l'art de communiquer des choses du domaine spirituel, il peut ne pas disposer d'informations sur des sujets scientifiques. S'il vous arrive d'avoir besoin d'un renseignement scientifique, et s'il est important que vous en disposiez, votre guide fera en sorte que vous l'obteniez — peut-être en mettant sur votre chemin un livre ou une personne ayant la connaissance requise — ou encore, le renseignement viendra d'un autre guide.

N'imaginez pas qu'une fois que vous saurez transmettre, tout vous sera possible. Vous êtes choisi par un guide parce que vous êtes dans la meilleure résonance avec ce qu'il veut apporter sur terre. Donc, en toute hypothèse, c'est ce que vous voulez faire et que vous avez déjà fait de votre vie, que vous continuerez à développer avec son assistance. Que ce ne soit pas pour vous un problème s'il y a des domaines extérieurs à votre champ de connaissance ou à celui de votre guide.

On appelle certains guides des « êtres de lumière » parce qu'ils travaillent avec la lumière et parlent le langage de la lumière.

Beaucoup de guides de haut niveau sont proches de l'énergie pure, ayant évolué dans l'esprit et s'étant chargés de porter la lumière. Certains peuvent être appelés « êtres de lumière » parce qu'ils travaillent dans le spectre lumineux et parlent le langage de la lumière en communiquant directement des pensées-impulsions à l'esprit de ceux avec qui ils travaillent. Nous, Orin et Da-Ben, sommes des êtres de lumière. Nous avons la capacité de nous mouvoir dans la quatrième dimension aussi bien que dans la cinquième, et dans de plus élevées. Nous avons évolué au-delà du plan causal et venons de ce que vous appelez la réalité multidimensionnelle. Notre assistance est disponible si vous la demandez, à nous ou à votre propre guide. Notre but est de vous permettre d'établir un lien avec un guide venant de nos dimensions, ou d'une sagesse et d'une lumière comparables, avec qui vous pourrez évoluer et atteindre une conscience supérieure.

Il y a tellement d'endroits différents d'où proviennent les guides qu'il est préférable de ne pas s'inquiéter de leur origine, mais plutôt de chercher à différencier les guides qui oeuvrent pour votre bien de ceux qui ne le font pas. Des âmes peuvent exister à tous les niveaux de maîtrise dans chaque dimension. Des entités peuvent venir de très nombreuses dimensions ou plans de réalité et être à des étapes différentes de leur propre évolution; il est important pour vous d'exercer votre discrimination vis-à-vis du guide que vous rencontrez. Il y a de grands maîtres d'enseignement sur chaque plan de réalité. Nous veillons avant tout à ce que votre guide soit suffisamment apte et enclin à vous assister dans votre progrès spirituel.

Les guides de haut niveau sont source de confiance, de clarté et d'orientation.

Les gens nous demandent souvent : « Comment peut-on dire si le guide qu'on attire est un guide de haut niveau ? » Nous pensons que chacun de vous a la capacité de reconnaître un guide qui n'est pas élevé. Quand vous rencontrez des gens, vous sentez immédiatement le degré de leur sagesse et de leur amour. Vous savez si vous vous sentez bien, heureux, auprès d'eux, ou déprécié, sans joie. Usez envers un guide de la même faculté de jugement qu'envers les gens. Vous avez l'aptitude de reconnaître la sagesse. Vous pouvez ressentir la vérité comme si vous la connaissiez déjà.

Les hauts guides viennent pour éclairer votre chemin. Leur seul voeu à votre égard est que vous soyez mieux. Ils sont là pour vous aider dans des choses telles que vous rappeler qui vous êtes, vous débarrasser de la peur et apprendre à vous aimer vous-même et à aimer les autres. Ils viennent pour que vous trouviez plus de joie et pour vous assister dans votre croissance personnelle et dans votre travail ici sur la Terre.

Les guides de haut niveau ne cherchent pas à vous

effrayer ni à gonfler votre ego. Ils ne vous flattent pas, bien qu'ils applaudissent à vos progrès. Leur présence crée en vous un sens d'attention ouverte et une vision intérieure plus large. Ils vous encouragent à vous servir de votre propre discernement et de votre sagesse plutôt qu'à suivre aveuglément ce qui vous est dit. Ils ne vous disent jamais qu'« il faut » que vous fassiez ceci ou cela, et ne cherchent pas à s'immiscer dans votre vie pour obtenir un résultat précis. Ils vous soutiennent et vous encouragent à utiliser votre force intérieure et votre sagesse profonde. Ils vous inciteront à ne pas leur abandonner votre pouvoir. Les hauts guides sont souvent humbles et reconnaissent sans peine que leur vérité n'est pas l'unique vérité. Ils peuvent vous faire de fortes suggestions et vous aider à faire vos propres choix. Ils peuvent vous faire toucher du doigt quelque chose qui ne fonctionne pas dans votre vie, mais ils le font de manière telle que vous vous en sentiez plus puissant et plus solide.

Il est bien rare que les hauts guides fassent des prédictions. Ils ne le font que dans la mesure où cela est utile pour votre progrès ou pour l'humanité. Si vous recevez une indication du guide de quelqu'un d'autre, par laquelle vous vous sentez diminué ou mauvais, rappelez-vous qu'il vous reste le choix de l'accepter ou non comme valable pour vous. Si, en sortant d'une consultation faite par un guide, vous vous sentez plein d'appréhensions face à votre vie, alors vous n'étiez pas en présence d'un guide de haut niveau, car ceux-ci vous procurent un sentiment d'élévation et d'acceptation de ce que vous êtes. Ils vous aident à vous regarder de manière nouvelle et plus ouverte. Observez aussi que vous pouvez tourner un message d'élévation en quelque chose de beaucoup moins joyeux si vous choisissez de l'interpréter en négatif plutôt qu'en positif.

C'est votre but le plus élevé qui compte le plus pour les guides de haut niveau.

Les hauts guides s'expriment avec grande précision et disent beaucoup en peu de mots. Ils enseignent la tolérance et encouragent le pardon. Leurs avis sont pratiques, souvent simples, modestes, dénués d'arrogance et pleins de bon sens. Tout ce qu'ils conseillent se révèle utile et amène un plus dans la vie de la personne concernée. Les hauts guides ne parlent que de ce qui est bien dans les gens et dans les choses, car ils sont par nature emplis d'amour et de bonté.

Si vous le leur demandez, ils vous montreront quelles sont vos leçons, vous parleront de ce que vous avez à apprendre, mais ne vous empêcheront pas de faire les choses à votre idée, selon votre choix. Ils prennent soin que vous ne vous détourniez pas de vos leçons. Si vous vous entêtez contre quelque chose qui vous procurerait une leçon difficile mais bénéfique, ils peuvent vous montrer le moyen de l'apprendre dans la joie. Si, malgré tout, vous persistez dans votre propre façon de voir, ils ne vous arrêteront pas. Il ne tient qu'à vous de choisir la joie; mais si vous apprenez mieux à travers la peine et le conflit, les hauts guides ne les feront pas disparaître.

Reconnaissez les entités moins évoluées

ORIN ET DA-BEN   *Il y a quelquefois de la confusion pour décider s'il faut suivre ou non l'avis de tel guide particuler. C'est à vous de mettre en oeuvre votre propre faculté de discrimination et d'intuition de ce qui est sage. Lorsque vous recevez un avis de votre propre guide ou d'un autre, posez-vous ces questions : « Est-il opportun que je suive ce conseil ? Me limite-t-il, ou accroît-il mes possibilités ? Est-il judicieux ? A-t-il pour moi une valeur pratique, est-il*

*applicable immédiatement ? Est-il en accord avec ma con-
viction intime ? » Souvenez-vous de la dernière fois que
vous avez suivi le conseil d'un ami ou d'un guide et où cela
n'a pas produit un bon résultat. N'est-il pas vrai qu'il y avait
une part de vous qui n'était pas très chaude pour suivre cet
avis ? Généralement, on sait très bien ce qui est bon pour
soi. Pesez soigneusement toute information reçue. Usez de
votre bon sens pour décider si vous l'utilisez ou non;
n'acceptez pas aveuglément quelque chose qui concerne
votre vie. Auprès des guides de haut niveau, votre confiance en votre propre jugement se renforcera. Un avis
n'est à suivre que s'il résonne juste en vous et non parce
qu'il est reçu par transmission. Faites seulement ce que
vous sentez adéquat et bienvenu.*

**N'acceptez que les messages qui sont en
résonance avec la part la plus profonde de votre
être.**

*Comment reconnaître les entités moins évoluées ? Cer-
taines d'entre elles sont friandes de faire des prédictions
catastrophiques et n'aiment rien tant que l'intensité
émotionnelle que la frayeur peut provoquer chez les gens.
Leurs prédictions n'ont pas pour but de prêter assistance
aux gens, ni de leur suggérer un dessein plus grand. Leurs
messages gonflent l'ego des gens, par exemple en leur
disant qu'ils vont devenir riches ou célèbres, alors même
qu'il est clair que ce n'est pas leur voie. Vous saurez si
vous êtes en contact avec un guide inférieur. Vous vous
sentirez effrayé, impuissant, déprimé et inquiet pour votre
avenir après avoir reçu leur avis.*

*Les entités moins évoluées peuvent vous inciter à des
actions que vous savez ni élevées, ni tournées vers l'amour.
Souvent ces entités provoquent des sentiments négatifs
entre amis pour essayer de vous pousser à la vengeance.
Elles peuvent vous suggérer d'avoir à vous protéger contre
des dangers terribles et invisibles. Certaines, en particulier*

les moins évoluées, vivent de vos émotions intenses, et chercheront donc à les provoquer. D'autres vous font tout simplement perdre votre temps en vous donnant des renseignements inexacts ou sans intérêt. Les plus basses disent des choses banales avec prétention ou s'expriment d'une manière qui semble profonde, mais n'apporte rien de valable.

Les guides peu évolués peuvent ne pas se soucier d'élever votre énergie à un niveau supérieur. Ils peuvent n'avoir aucune considération pour votre croissance spirituelle; ils peuvent même n'avoir aucune idée des voies de cette évolution. Ils peuvent n'avoir pas conscience de la direction du courant de l'évolution humaine. Vous vous en rendrez compte parce que l'orientation qu'ils vous donnent et qui peut vous sembler contenir des points intéressants n'a en fait aucune valeur pratique pour vous. Il se peut que ce ne soient pas de mauvaises entités, mais elles ne partagent pas vos buts et vos desseins, ni ne comprennent votre destinée dans ce qu'elle a d'unique, et ne peuvent donc être à même de vous « guider ». Ces entités ne vous porteront probablement aucun préjudice, sauf que vous risquez d'éprouver de l'inconfort au contact de leur négativité. Elles peuvent même être aimantes dans leurs intentions, mais n'être pas parvenues à un degré d'évolution plus haut que le vôtre. Vous reconnaîtrez leur peu d'évolution aux lacunes que vous trouverez dans leur compréhension et leur ouverture d'esprit.

Il existe un niveau de réalité se trouvant à une fréquence ou à un degré du vôtre, appelé « plan astral », où vont de nombreuses âmes entre deux incarnations. Dans les niveaux inférieurs du plan astral, il existe beaucoup d'entités désireuses de revenir sur terre. Elles peuvent vouloir avoir des expériences de la vie à travers vous. Elles sont en général plus ignorantes que mal intentionnées. Vous pouvez les reconnaître quand elles s'approchent, car vous sentez leurs émotions : peur, peine, incertitude. Vous sentez qu'elles ne sont pas en paix. La plupart des âmes à ce niveau ne sont pas suffisamment évoluées pour vous aider, et nous vous recommandons de ne pas leur servir de canal. Elles représentent un carrefour de l'humanité, où arrivent tous les chemins de vie. Ces entités qui sont liées à la terre peuvent ignorer qu'elles sont mortes. Si vous sentez que c'est le cas, dites-leur d'aller vers la lumière.

Les guides ne parlent à travers vous qu'avec votre permission.

Nous vous recommandons de ne jamais inviter ces entités à entrer dans votre corps et de ne pas leur prêter votre voix. Vous saurez qui elles sont à leur vibration inférieure et à l'impression qu'elles laissent. Vous sentirez en vous un poids, ou même une résistance, vis-à-vis d'elles. Elles ne prendront pas le contrôle de vous, car il leur est très difficile de pénétrer le plan matériel. Vous seul pouvez contrôler ce plan de réalité. Votre curiosité, vos velléités de jouer avec elles ou de les taquiner, les tiendraient à proximité. Soyez ferme et coupez le contact. Les guides ne peuvent vous abuser quand vous leur demandez d'où ils viennent. Si vous leur demandez s'ils viennent de la lumière, ils ne pourront dire « oui » si ce n'est pas vrai. Demandez un guide de haut niveau et il en viendra un.

Un guide de haut niveau vous aidera à éprouver plus de compassion pour vous-même et pour les autres.

Si des entités autres que des guides élevés et aimants veulent s'exprimer à travers vous, dites-leur simplement « non » avec fermeté et clarté. Quand vous transmettez votre guide, vous savez l'impression qu'il ou elle donne. Il est impossible pour un autre être de vous duper. Un guide de haut niveau est perçu comme stimulant, aimant et merveilleux. Il procure une sensation de bien-être. Si vous vous sentez déprimé, triste ou en colère, c'est que vous n'avez *pas affaire à un guide de haut niveau. Demandez-lui de partir et faites la requête d'un guide supérieur.*

Les guides personnels

ORIN ET DA-BEN   *Chacun de vous a un guide personnel qui l'accompagne au long de sa vie, souvent désigné comme l'ange gardien. Parfois plusieurs guides aident une même personne, particulièrement si elle est à un tournant important de sa vie. Ces guides personnels sont habituellement moins évolués que les guides de haut niveau. Ils sont à un stade d'évolution supérieur au vôtre parce qu'ils sont en général passé par l'expérience de la vie sur terre, et sont plus conscients de la réalité supérieure que vous ne l'êtes. Ce peut être des personnes que vous avez connues au cours de votre vie, qui ne sont plus vivantes et ont évolué au-delà du monde des émotions négatives attachées à la terre. Il se peut aussi que ce soit des êtres que vous avez rencontrés dans d'autres vies.*

Ils sont là pour vous aider à suivre la destinée que vous avez choisie et pour vous assister en certains développements particuliers, et ils travailleront avec vous, que vous soyez ou non engagé sur votre plus haute voie, ou même avisé de leur existence. Une part de leur but est de vous aider à accomplir ce que vous êtes venu faire ici. Ces guides ne sont pas « moindres » que les guides de haut niveau, mais l'envergure de leur plan d'existence et de leur conscience n'est pas aussi vaste et tout-inclusive que celle des guides qui sont des maîtres élevés.

Les guides de haut niveau travaillent de concert avec votre guide personnel pour vous aider, par des conseils sur des détails spécifiques de votre vie. En certains domaines, les guides personnels jouent un rôle d'intermédiaire entre vous et votre guide supérieur. Une fois que vous avez connecté un guide de haut niveau, la plus grande partie de votre contact conscient avec votre guide personnel n'est plus fixée sur lui directement, mais passe par le guide de haut niveau.

SANAYA ET DUANE   Dans les relations avec les guides, les possibilités semblent vraiment variées à l'infini, et vos expériences pourront donc être différentes de celles que nous avons eues de notre côté. Nous vous convions à entourer de respect ce que vous expérimenterez avec les guides. Ils vous diront qui ils sont et d'où ils viennent, mais ne cherchez pas à les faire entrer dans telle ou telle catégorie. Les renseignements que donnent Orin et Da-Ben ne sont pas un système de règles, mais seulement des lignes directrices.

4   COMMENT LES GUIDES COMMUNIQUENT AVEC VOUS

Comment les guides transmettent les messages

ORIN ET DA-BEN   *Les guides entrent en contact avec votre âme et leurs informations passent alors à travers elle jusqu'à votre conscience, traduites dans les mots et les concepts dont vous disposez. Il y a un nombre infini de manières pour un guide de communiquer une information à votre âme. L'état de transe et la concentration focalisée aident à déblayer les distorsions de la personnalité pour laisser place à un « canal » clair par où s'exprime le message.*

Pour transmettre, vous élevez votre fréquence par le moyen de l'état de transe, tandis que nous abaissons la nôtre, pour les ajuster. Ce n'est pas exactement une égalité d'énergie, mais plutôt une complémentarité. Nous créons sur notre plan des champs électromagnétiques qui sont similaires aux vôtres, sur votre plan. Quand nous ajustons ces champs d'énergie l'un à l'autre, la transmission peut avoir lieu. Votre habileté à « moduler » vos fréquences pour une transmission adéquate est également importante. Tandis que vous persévérez à transmettre, nous apprenons en retour à gérer nos modes d'émission et à contrôler les champs d'énergie. A mesure que vous devenez plus expérimenté, vous apprenez comment capter plus finement nos champs d'énergie. De plus, nous vous envoyons un surplus immédiat d'énergie au moment où vous entrez en transe.

Pour vous aider à comprendre ce sujet extrêmement complexe, imaginez qu'il n'y ait qu'un seul univers. Laissez de côté l'idée que nous existons dans un univers à part du vôtre, mais pensez plutôt que nous sommes sur des fréquences différentes dans le même univers. Nous vous demeurons invisibles tant que vous ne modifiez ou n'amplifiez pas votre conscience de manière à pouvoir être réceptifs à nos pensées-impulsions.

A chaque fois que l'un de vous réalise une percée jusqu'au niveau supérieur, nous le voyons.

Nous ne pouvons parvenir à vous qu'en ajustant nos fréquences aux vôtres pour qu'ainsi la porte s'ouvre. Nous ne vous voyons et ne vous entendons que lorsque ces fréquences sont ajustées de façon telle qu'elle nous rend votre univers perceptible. Quand, à la recherche d'un guide, vous réalisez une percée, votre énergie se transforme et devient visible pour nous. Toute intention claire de s'élever est très visible dans notre univers et, quand vous atteignez un niveau supérieur, nous nous en rendons compte. Mais si vous devenez visibles, nous ne vous voyons habituellement pas comme vous vous voyez entre vous. Nous vous percevons comme des champs complexes, des couleurs ou des harmonies d'énergie en mouvement. Nous percevons votre monde comme des harmoniques mouvantes de l'énergie de la force de vie. Dès que vous vous mettez en quête d'une connexion avec nous, nous commençons à ajuster nos fréquences à vos propres dimensions pour que cela soit possible.

Nous, guides, nous considérons votre réalité terrestre comme un monde tridimensionnel. Plus il y a de dimensions, plus rares sont les limitations et les obstructions. Quand vous mourez, vous augmentez votre fréquence de *façon telle que vous devenez invisible sur le plan terrestre, mais visible pour d'autres plans. Vous êtes alors capable de passer à travers les murs, la matière physique. Ce n'est pas la densité des murs en elle-même qui vous empêche de les traverser, mais le mode de relation entre votre vibration et la leur. Si vous l'augmentez, les choses jusqu'alors invisibles vous deviennent perceptibles, et les obstacles, tels que les murs, deviennent pour vous transparents.*

Transmettre est un art qui s'apprend.

Physiquement, votre cerveau se compose d'un cerveau droit et d'un cerveau gauche. Normalement, le cerveau droit s'occupe de l'intuition, des sentiments, de la communication non verbale, de la créativité et de l'inspiration. Le gauche utilise la mémoire, la logique, les mots, le langage. Sa fonction est de synthétiser, organiser, ranger en catégories vos expériences de manière rationnelle. Le plus souvent, les guides transmettent par l'intermédiaire de votre cerveau droit, plus sensitif et réceptif aux impressions. La transmission requiert l'établissement d'un type particulier de courant et une synchronisation entre cerveau droit et cerveau gauche. Ceci s'obtient dans les états de transe les plus calmes, paisibles, qui permettent une réceptivité accrue aux royaumes supérieurs.

Pour transmettre il est nécessaire d'utiliser simultanément les deux côtés du cerveau. Une part du défi est de lâcher prise, apprendre à s'ouvrir au courant supérieur du message (fonctions du cerveau droit) tout en parlant ou écrivant (fonctions du cerveau gauche, mettant en jeu l'action, l'organisation, le vocabulaire). L'usage simultané des cerveaux droit et gauche rend possible une transmission précise et adéquate du message des guides.

Quand vous transmettez, de nouveaux circuits s'établissent dans vos neurones, se développent et s'activent, produisant un changement de votre mode habituel de penser.

A chaque fois que vous apprenez une nouvelle technique, par exemple à taper sur un clavier ou à dessiner, de nouvelles inductions neuronales et musculaires se développent de vos bras à votre cerveau. A chaque fois que vous ferez descendre un peu plus de lumière par la transmission, vous penserez de façon plus élevée et plus concentrée, même en dehors des séances de transmission.

Dans la transmission consciente, le guide imprègne votre esprit de son message, par ce qu'on peut appeler une télépathie supérieure. C'est à ce type de réceptivité que nous vous encourageons, dans lequel vous gardez le contrôle de vos muscles. Certaines personnes « savent » le message (« clairsentience »), d'autres le « voient » (clairvoyance) et d'autres l'« entendent » (« clairaudience »). Certains le perçoivent comme une abondance d'impressions sur lesquelles ils mettent des mots.

Les guides communiquent avec vous au moyen d'une forme supérieure de télépathie.

En tout type de télépathie, les idées se transmettent plus aisément que les données spécifiques, telles que les noms, les dates, les détails. Pour développer le talent d'obtenir des détails spécifiques, il faut souvent une longue période de mise au diapason avec votre guide. Souvent nous émettons des images-lumières, des pensées-impulsions et des données sous forme de fréquences énergétiques, et vous laissons le soin actif de les remplir de substance, de trouver les mots justes, ceux qui s'appliqueront le plus exactement au message émis. Beaucoup de communications sont émises le mieux possible sous forme d'images, qui doivent être ensuite traduites dans les mots de votre vocabulaire et de votre système conceptuel.

Certains guides parlent par métaphore, en utilisant des histoires pour illustrer leur propos. Certains travaillent directement sur les blocages d'énergie. D'autres avec les couleurs, les contours, les formes. Certains s'expriment à travers votre gorge ou se servent de vos mains dans des activités créatives. Certains guides parlent des centres d'énergie, d'autres des vies antérieures. Les uns discutent du destin de l'âme, les autres des vérités supérieures de l'univers. Il en est de poétiques et de philosophiques; certains sont pleins d'humour, d'autres de gravité. Parfois, par des séries de questions directes, ils mettent les personnes au défi de trouver leurs propres réponses, plutôt que de leur fournir des explications.

Les guides choisissent pour channel quelqu'un qui dispose du vocabulaire et des talents adaptés à leur collaboration. Les guides qui s'occupent de sciences choisiront des transmetteurs possédant un vocabulaire scientifique. Les guides orientés vers l'art choisiront des artistes. Ceux à tendance philosophique opteront pour des personnes qui s'intéressent à la philosophie, et ainsi de suite. Si les guides vous communiquent des informations qui ne correspondent pas à votre vocabulaire, ils choisiront les mots les plus justes parmi ceux dont vous disposez. Par exemple, s'agissant d'un organe du corps pour lequel vous ne possédez pas le terme exact, ils pourront vous en faire la description, plutôt que de le désigner par son nom.

Les guides se servent de vos mots et de vos concepts pour exprimer leurs messages.

Quelquefois, dans la connexion avec votre guide, les mots vous viennent instantanément à l'esprit. Vous pouvez parfois sentir simplement les mots se former, et vous mettre à parler, sans aucune idée préalable de ce vous allez dire. Quelqu'un rapporte qu'il voit les mots juste avant de les dire comme s'ils apparaissaient sous le ruban d'une machine à écrire. Il ne fait que lire le message à mesure qu'il est tapé. D'autres voient des images se déployer sur un écran, puis les décrivent ou les interprètent. Les guident suivront n'importe quelle méthode qui vous convienne à vous et au message du moment. Les messages ne viennent pas toujours *par votre voix. Ils peuvent venir à travers tout mode d'expression que vous maîtrisez, comme par exemple à travers les mains, en transmettant l'énergie par le toucher. Les guides choisiront le chemin le plus aisé pour que passe leur message. Vous recevrez l'information selon la manière qui sera pour vous la plus naturelle, quelle qu'elle soit. Le mode de transmission peut changer à mesure que vous progressez dans votre pratique.*

Votre rôle en tant que récepteur et interprète

ORIN ET DA-BEN *Etant donné que c'est vous qui parlez, vous pouvez considérer votre rôle comme celui d'un interprète. Vous pouvez «sentir» la formule correcte de traduction ou ce que vous devez dire. Vous pouvez sentir le mot juste de préférence à celui qui ne l'est pas tout à fait. Un moyen pour perfectionner la finesse de votre interprétation est de prêter attention à ce que vous ressentez. Si vous sentez soudain quelque chose d'inconfortable, lâchez ce que vous êtes en train de transmettre et laissez émerger une nouvelle direction. Procédez avec lenteur et soyez attentif aux mots qui viennent. Quand vous choisissez un concept ou un mot inadéquat nous vous le signalons par une note ou une impression discordante.*

Quand vous commencez à trouver un peu ennuyeux votre discours, c'est signe que vous avez perdu la connexion avec votre guide. Parfois, pendant que vous serez en train de parler, vous noterez que l'impulsion originelle venant de votre guide n'est plus active derrière les mots. Si vous vous sentez pris dans une sorte de verbiage, ralentissez, parlez très lentement. Cela vous laissera le temps nécessaire pour ajuster votre intuition des mots justes avec le courant d'énergie envoyé à travers vous.

Après une séance de transmission, nous pouvons aussi vous signaler comment améliorer votre réception. Vous pouvez vous mettre à penser à ce que vous avez transmis, à réfléchir à la façon dont vous auriez pu vous exprimer avec plus de précision, avec plus de compassion ou avec un sentiment plus positif. Seul votre souci d'amélioration nous permettra des tentatives dans ce sens.

Il faut habituellement de la pratique pour capter clairement le message de votre guide.

Votre guide doit se familiariser avec vos systèmes énergétiques et procéder à des ajustements fins et subtils. Même si parfois les mots et les idées semblent vous venir directement à l'esprit, ils peuvent être élevés à un degré supérieur de vibration, et être exprimés et organisés d'une manière différente. Parfois les messages les plus difficiles à transmettre sont les plus évidents, ou ceux qui contiennent les réponses que vous attendez. Il est parfois très difficile de transmettre à l'intention de ceux que vous aimez ou que vous connaissez bien, parce qu'une part de vous peut déjà connaître la réponse, et que si votre guide veut exprimer la même chose, vous pouvez pensez que cela vient de vous plutôt que de lui. La plupart des transmetteurs avec qui nous avons travaillé restituent les messages exactement comme ils les reçoivent, avec la plus grande sincérité. Si vous recevez quelque chose qui est en accord avec ce que vous savez déjà, pourquoi invalider le message ?

Les informations émises ne trouveront pas toutes de parfaites correspondances dans les formes, les mots ou même les concepts. Il s'en perd en général une part dans la traduction. Ceux d'entre vous qui sont traducteurs connaissent la difficulté de verser les mots d'une langue dans ceux d'une autre; des langues différentes sont le reflet de systèmes de pensées différents. Pendant vos débuts comme transmetteur, nous prenons note des mots, des phrases et des concepts que vous sélectionnez comme correspondants à notre message. Nous sommes à même d'observer votre personnalité, vos convictions, vos structures conceptuelles et d'ajuster nos pensées-impulsions de manière concordante. Nous guidons votre interprétation au plus près et affinons constamment notre mode d'émission, pour que le message reçu soit le reflet toujours plus pur de l'essence de ce que nous envoyons.

Votre transmission peut de temps en temps vous donner l'impression que vous êtes en train de vous souvenir et de parler d'une de vos expériences passées, qui semble coller exactement au message que vous captez. La sensation de puiser dans votre mémoire peut l'emporter sur celle d'être l'interprète d'un guide. Peut-être est-ce simplement que votre guide veut vous faire parler d'une expérience que vous avez eue, bien que vous ayez l'impression d'en parler avec une qualité de sagesse et de compréhension supérieures.

Tout que vous faites pour élargir votre conscience vous aide à devenir un meilleur channel.

Chacune de vos lectures et de vos découvertes accroît les ressources que vous rendez disponibles à votre guide. Il se servira des idées que vous avez trouvées en lisant et les synthétisera de façon nouvelle. Il peut prendre une idée que vous avez lue il y a dix ans comme utiliser quelque chose que vous avez appris hier. Tenez compte du fait que tout ce que vous avez en vous est un outil potentiel pour votre guide.

Au cours d'une transmission à l'intention de quelqu'un d'autre, votre guide peut vous glisser : « Rappelle-toi quand tu lisais tel livre. Souviens-toi de ce paragraphe, de cette idée. » Ce peut être exactement ce que la personne à qui vous donnez la consultation a besoin de savoir sur le point qui l'intéresse. Votre guide peut explorer votre esprit pour sélectionner quelque chose dans votre mémoire qui est juste adapté à la situation du moment. Un autre mode de communication peut être de vous donner un mot « déclic ». Par exemple vous pouvez commencer par capter le mot « courage ». En prononçant ce seul mot, cela déclenche tout un ensemble de pensées et d'idées qui lui sont associées, et qui alors vous parviennent.

Votre guide transposera votre sagesse personnelle en une structure plus globale. Il, ou elle, vous montrera les leçons universelles que vous pouvez tirer de vos expériences personnelles et vous permettra d'envisager votre vie d'un point de vue plus élevé, plus spirituel. Votre guide peut également faire usage de ces vérités universelles à l'intention des autres.

Les guides vous encouragent à vous relier à la sagesse de votre âme.

Pour mettre votre voix en action, nous utilisons normalement vos pensées. Lorsque vous transmettez, nous sommes la ligne de fond du courant de vos pensées, qui choisit celle qu'elle va déclencher, ce qui vous entraîne mentalement à parler d'un certain sujet, et d'une certaine manière. Nous éclairons certains domaines de votre esprit et nous activons également votre connaissance intérieure. Nous ne cherchons pas à tirer de votre esprit nos idées, mais les mots nécessaires pour les exprimer. Plus votre esprit est riche de connaissances et d'expériences, plus nombreux sont les mots disponibles pour exprimer nos pensées-impulsions.

C'est à travers votre personnalité et votre voix que vient votre guide, et de ce fait, vous le (ou la) percevrez au début tout à fait à votre ressemblance. Rappelez-vous qu'étant accoutumé à penser que votre voix est vous-même, en écoutant parler par elle votre guide, vous identifierez son expression à la vôtre. Vous serez plus facilement convaincu que c'est réellement votre guide qui parle si votre voix sonne différemment — avec un accent, une cadence ou un ton qui diffèrent de votre voix habituelle.

Le langage est très important, et souvent son degré de précision détermine la largeur du champ de ce que vous pouvez saisir. Il nous faudrait écrire des volumes entiers d'explications sur les bases théoriques, pour vous permettre de comprendre un certain nombre de nos concepts. En condensant le message en vue de vous aider, une part de la précision et de l'exactitude est perdue, et un risque d'erreur de compréhension intervient. Nous marchons sur une voie étroite en simplifiant d'un côté nos messages pour qu'ils vous demeurent compréhensibles, pendant que de l'autre nous en préservons la profondeur, la clarté, la sagesse et la vérité telles qu'elles existent à notre niveau.

Souvent nous acheminons nos messages à l'aide d'exemples, de métaphores, de comparaisons. Dans ce procédé, il y a toujours un risque de trop grande simplification. Les exceptions, les cas particuliers n'y sont pas toujours inclus. Nous pouvons avoir recours à des néologismes pour exprimer ce que nous voulons dire, car souvent il manque des mots dans votre vocabulaire. A mesure que croît votre compréhension, nous pouvons vous communiquer des messages plus complexes ou de plus vaste portée. Nous vous donnons les avis que vous pouvez comprendre et utiliser dans le moment. Quelquefois vous tirez de fausses conclusions de nos avis parce que vous n'en saisissez pas suffisamment la portée. Telle information que vous recevez sur un sujet à telle étape de votre progression sera en général étendue, clarifiée, modifiée à un stade ultérieur. C'est pourquoi il est très valable d'enregistrer et de réécouter ce que vous avez transmis. Lorsqu'à une date ultérieure, avec un champ de conscience plus large, vous regarderez en arrière, vous verrez souvent apparaître une interprétation différente de celle que vous aviez trouvée initialement. Le message de votre guide peut se révéler d'une sagesse bien plus grande que vous ne le soupçonniez au départ; il peut être plus riche de profondeur et de signification, vu depuis le futur.

5 S'APPRETER A TRANSMETTRE

Attirer votre guide de haut niveau

ORIN ET DA-BEN *Votre première rencontre avec un guide est un moment spécial, qu'il est préférable de préparer comme un événement à part. C'est une expérience unique, différente pour chaque personne. Même ceux qui ont été avertis de la présence d'un guide trouvent que l'instant où s'effectuent réellement les derniers ajustements, juste avant que ne s'opère la première connexion totale, est chargé d'intensité.*

L'acte d'invitation et l'entrée d'un guide dans votre vie peuvent s'opérer de bien des façons. Cela peut se produire sous la supervision ou la direction d'un autre guide de haut niveau, ou bien vous pouvez établir par vous-même le contact avec votre guide en demandant cette connexion. Nous avons conçu ce livre dans le dessein de vous montrer comment contacter votre guide. Les façons de procéder décrites dans la seconde partie, chapitres 6 et 7, peuvent être utilisées comme un fil conducteur pour inviter en vous votre guide. Vous pouvez suivre ce fil conducteur par vous-même ou avec l'assistance d'un ami. Une autre manière de faciliter cet apprentissage est de faire vous-même des cassettes enregistrées, en vous servant des exercices des chapitres 6 et 7 comme ligne directrice.

Une autre manière simple de faire ce premier pas consiste à avoir un ami qui vous assiste en posant des questions et en maintenant un point de focalisation, un ami qui croie en vous et qui soit à votre écoute. Certaines personnes jugent plus facile de transmettre quand quelqu'un d'autre a besoin d'un conseil ou d'une réponse, car le désir de venir en aide aux autres est souvent un stimulant pour surmonter les hésitations à parler ou à établir la connexion. Nous vous donnons les instructions concernant l'assistance d'un ami dans le chapitre 7.

A certains moments, il est très fructueux de transmettre en présence de quelqu'un d'autre, car les réponses d'une tierce personne offrent à votre guide un point de repère lui permettant d'évaluer le niveau de complexité de l'information qu'il émet. Si vous et votre ami exprimez comment vous comprenez les messages, votre guide est mieux à même d'évaluer de quelle manière vous les traduisez, et d'ajuster la communication en conséquence. Il peut alors décider s'il y a lieu de simplifier les messages, ou de viser un degré supérieur de complexité et de vous donner des renseignements supplémentaires ou un cadre de référence.

Qu'attendre de la première fois ?

ORIN ET DA-BEN   L'entrée d'un guide de haut niveau est, presque toujours, empreinte de douceur, sauf en de rares cas où la vibration du guide est intensément différente de celle de la personne. Selon nos expériences et celles que nous avons pu observer chez de nombreuses personnes, les guides viennent plutôt à vous de manière tellement douce, que vous douteriez de leur présence plutôt que d'y trouver matière à vous inquiéter ou à être effrayé. Parce que la plupart des guides viennent avec douceur, que le plus souvent votre transe est légère, et que vous conservez une conscience lucide, vous pouvez vous trouver en situation *de vous étonner : « Est-ce autre chose que mon imagination ? »*

*Les guides entrent dans votre aura
avec une douceur telle
que vous pouvez d'abord douter de leur
présence.*

Certaines personnes se mettent à transmettre avec beaucoup de facilité. Avec un bon ajustement des champs d'énergie entre vous et votre guide, il est possible d'entrer en transe sans une longue période de transition, et sans gêne physique. Pour d'autres, il est plus long d'entrer en transe, il leur faut le temps d'apaiser leur esprit, de concentrer leurs énergies, de s'ajuster à leur guide. Certaines personnes ont des frissons ou de fortes sensations physiques à l'entrée des guides, mais ceci est rare. Elles parviennent généralement à éliminer ces sensations en s'ouvrant et en apprenant à manier le courant d'énergie plus puissante qui traverse leur corps. Les sensations les plus courantes sont la chaleur et des picotements. Ces sensations physiques se manifestent d'ordinaire au moment où entre votre guide, mais s'estompent en général au bout d'un moment. Si vous expérimentez quelque désagrément, demandez à votre guide qu'il vous aide à vous ouvrir à son énergie.

En progressant dans votre pratique, vous pourrez sentir la présence vibratoire de votre guide distincte de la vôtre. La vibration des guides se situe au-delà de votre gamme ordinaire de perception, et il faut parfois un certain temps pour distinguer l'une de l'autre. Vous pourrez noter de subtiles modifications dans votre corps, votre posture ou votre respiration. Vous pourrez observer un changement léger dans le rythme, la vitesse ou la structure de votre voix. Certaines personnes font d'emblée l'expérience de ces différences et d'autres pas.

Votre guide intensifiera la connexion à mesure qu'il

évaluera mieux votre adresse à manier son énergie. Il peut se trouver que vous receviez des suggestions sur la façon de consolider votre connexion. A chaque fois que vous transmettez, le lien avec votre guide s'approfondit et se renforce. Pour augmenter la perception que vous avez de lui (ou d'elle), vous pouvez imaginer que vous êtes entouré par un être plein de force et d'amour qui vous accepte totalement, vous protège, prend soin de vous, vous soutient et vous prodigue sa sagesse. En maintenant l'hypothèse que votre guide est là, vous sentirez en fin de compte sa présence comme quelque chose de plus que votre simple imagination.

Il se peut que vous sentiez la présence de votre guide sans pourtant la percevoir sous une forme définie. Certaines personnes voient des lumières et des couleurs, et d'autres se sentent comme flotter dans l'espace. Le monde des guides est à ce point empli de lumière que parfois, en y accédant, les gens se sentent aveuglés. C'est comme passer d'une pièce obscure à la pleine lumière du soleil; les yeux ont besoin de s'adapter avant de voir clairement. En atteignant pour la première fois ces mondes supérieurs, les gens se sentent quelquefois tellement submergés de toutes ces sensations qu'il ne peuvent en rapporter de messages ou de conseils concrets. Ils perçoivent un monde de plus haute vibration, mais cela peut prendre quelque temps avant qu'ils puissent s'y mouvoir.

Atteindre votre guide requiert l'aptitude à vous concentrer et à focaliser.

Si votre esprit vagabonde, vous risquez de perdre la connexion. Jusqu'à ce que votre mental puisse sans peine maintenir le niveau requis de concentration, vous pouvez avoir à mettre en jeu votre volonté pour garder la connexion ferme et solide, en focalisant votre attention sur ce que votre guide est en train de dire. Pour ce faire, il vous sera nécessaire de chasser toute pensée intruse. Certaines personnes décrivent cela comme un état d'intense écoute intérieure. En gagnant en adresse, vous serez capable d'expérimenter simultanément vos pensées et les messages de votre guide. Au début, l'information peut vous sembler diffuse. Il peut vous sembler que vous « l'avez sur le bout de la langue » ou juste hors de portée de main. Passez simplement à l'idée suivante, et peut-être trouverez-vous que celle du départ devient plus claire à mesure que vous dites autre chose.

Quand les premiers mots arrivent, vous pouvez avoir besoin de les prononcer avant que ne parviennent les suivants. Souvent vous aurez l'impression de prendre un risque, car lorsque vous parlez ordinairement, vous savez déjà ce que vous allez dire. Quand vous transmettez pour la première fois, laissez simplement couler l'information. Peut-être aurez-vous peur de paraître ridicule, ou penserez-vous que vous communiquez des messages sans grande signification. Laissez faire, ayez confiance et jouez comme un enfant; mettez votre volonté à poursuivre l'expérience. Si la transmission s'opère trop lentement ou trop rapidement, demandez à votre guide d'ajuster la cadence. De temps en temps, vous vous sentirez inondé d'informations au point qu'il vous sera difficile de toutes les exprimer. Si vous voyez des éléments qui vous semblent sans rapport les uns avec les autres, choisissez-en un qui vous intéresse, et commencez par là.

Au début, à en juger par l'information transmise, il n'est pas toujours évident que le guide soit de haut niveau. Quoi qu'il en soit, avec un guide de haut niveau vous éprouverez un sentiment agréable, positif, exaltant. Les guides stimulent certaines zones de votre cerveau et, au début, ils peuvent manquer d'adresse pour travailler avec vous. Il peut falloir un peu de temps pour que la connexion se structure. Vos premières paroles peuvent ne pas refléter de manière adéquate les impressions émises par votre guide. Durant cette période, comme en tout apprentissage, beaucoup de doutes peuvent surgir. Ce cas n'est pas rare.

*Transmettre s'accompagne d'une lucidité
accrue et d'un sentiment de bien-être.*

Il y a une période initiale d'expérimentation, d'essais et
d'erreurs, pendant laquelle votre guide explore les possibilités de communiquer à travers vous avec le maximum de
clarté. Il y a pour nous des centaines de manières d'imprimer nos messages sur votre conscience et nous choisissons la ligne de moindre résistance. Plus vous serez à
l'aise avec votre guide, mieux réussira sa tentative
d'imprimer son message à travers le canal sensitif adéquat.
Si le message et son sens vous semblent distants, cela veut
dire en général que votre guide ne vous contacte pas par
les chemins les plus directs.

Vous et votre guide pouvez acquérir une similitude de
pensée et d'idées. C'est souvent ce qui se passe quand
vous sentez que vous ne faites qu'un avec votre guide.
Quand vous parvenez à l'accord et à l'harmonie avec votre
guide, le voile qui vous sépare de son univers devient plus
ténu, et vous devenez capable de voir et de comprendre
par vous-même beaucoup de choses nouvelles.

*On peut transmettre bien plus
facilement qu'on ne le croit.*

La plupart des gens disent : « C'est tellement plus facile
que je n'imaginais ! » ou « Je connais déjà cette expérience
— c'est si familier ! » Ne compliquez pas les choses. Le
plus grand défi sera pour vous de parler sans interrompre
le courant par la question de savoir si vous êtes réellement
en train de transmettre ou seulement de faire comme si.

Vous pouvez vous trouver surpris par la sagesse de ce
qui s'exprime. Pendant que vous parlerez, vous serez
dominé par la présence d'une vibration supérieure. Ne
cherchez pas de messages cachés, déguisés, obscurs,
vagues ou occultes. Vous n'êtes pas en quête d'une

connaissance à exhumer. Dites ce que vous pouvez voir d'évident, car souvent les évidences sont les choses les plus importantes à dire. Quand on est dans l'aura d'un être supérieur, la vérité est évidente, et souvent simple.

Ayez conscience, au moment où vous commencez à transmettre, que les messages ne parviennent pas toujours verbalement. Votre guide peut simplement travailler avec vous sur le plan de l'énergie pour vous élargir, vous ouvrir et préparer la prochaine étape de votre développement. Ou encore, le message peut parvenir comme une perception intérieure ou une image mentale.

Une fois que vous avez commencé à transmettre, expérimentez sans cesse. Avant d'appeler votre guide, posez une question, et gardez en mémoire la réponse qui vous vient à l'esprit. Puis appelez votre guide, et posez la même question. Vous trouverez presque toujours une réponse différente, une manière plus compatissante et plus large d'envisager les développements possibles. Même si la réponse de votre guide est la même que la vôtre, vous trouverez probablement une orientation légèrement différente dans sa version.

Il est particulièrement important dans les premières étapes d'enregistrer chaque chose dite, pour plusieurs raisons. Cela vous aidera à comprendre les phases successives de votre progression. Cela vous permettra un examen rétrospectif pour découvrir la sagesse de ce que vous avez transmis. Ainsi une femme qui n'était pas sûre de transmettre réellement avait transcrit les messages de son guide. Relisant ses notes trois mois plus tard, elle fut stupéfaite de la sagesse de ces informations. Elle était passée par les expériences que son guide lui avait annoncées. Relire ces transcriptions lui permit de croire en la valeur de ce qu'elle faisait.

Il y a une autre raison pour enregistrer ce que vous transmettez. Une fois les paroles enregistrées ou écrites, elles deviennent part de votre réalité. Ce fait est pour vous une aide à insuffler plus de sagesse dans le monde physique. *Chaque fois que vous couchez vos paroles sur papier ou sur cassette, vous les amenez à un degré plus avancé de manifestation, vous les établissez dans la réalité physique.*

Votre guide est toujours présent
quand vous le demandez.

Certaines personnes demandent : « Pourquoi mon guide est-il toujours présent quand je le demande ? » Sachez que le monde dans lequel nous existons est au-delà du temps et de l'espace et que, lorsque nous nous engageons à travailler avec vous, nous avons conscience du plan global de développement de notre travail commun. Si vous changez d'avis, cela modifie la situation, mais à chaque instant, nous avons la vision d'ensemble de notre travail avec vous. Entre deux séances, nous n'expérimentons pas d'écoulement de temps. Il n'y a pour nous ni arrêt ni reprise, et les moments que nous passons ensemble constituent un fil continu. Quand vous entrez en transe, une part de nous est de nouveau dans votre univers; mais cette part ne connaît pas le temps linéaire, et elle n'a rien oublié de notre dernière rencontre. Nous expérimentons souvent cela comme vous-même expérimentez une communication téléphonique dans laquelle la ligne est coupée puis se rétablit. Nous attendons simplement que la communication reprenne. Nous disposons d'un champ de conscience beaucoup plus vaste que le vôtre. Nous pouvons manier des centaines de choses à la fois. Notre contact avec vous n'utilise qu'une très petite portion de notre attention totale, et une part de notre engagement envers vous est de maintenir une ligne solide et claire, quel que soit le moment où vous nous appelez.

Votre âme ou un guide?

ORIN ET DA-BEN   *Les gens cherchent habituellement, quand ils commencent juste à transmettre, à s'expliquer le processus. Ils se demandent si c'est une part d'eux-mêmes qu'ils joignent, ou bien si la connaissance qu'ils reçoivent vient de leur guide. Certaines personnes, en transmettant, expérimentent leur guide comme une entité séparée. D'autres sentent qu'elles sont en train de contacter leur moi essentiel, leur âme. Examinons ces perceptions différentes.*

Vous pouvez vous demander à quoi ressemble ce qu'on éprouve en communiquant avec son âme, au lieu que ce soit avec un guide. Vous êtes nombreux à ne pas connaître votre âme, aussi vous est-il difficile de dire la différence entre les pensées de votre «âme», et les pensées-impulsions d'un «guide». Ce que nous entendons par votre âme est la partie plus grande de vous qui existe en dehors de ce plan, qui continue à vivre après votre mort, se souvient de toutes vos vies écoulées, choisit la prochaine selon les opportunités de croître, etc. Nous utilisons de façon interchangeable les termes «âme», «être essentiel» ou «moi profond».

A moins que vous ne saisissiez des différences très subtiles, il vous sera très difficile pendant l'expérience de déterminer si c'est un guide que vous transmettez ou si vous laissez s'exprimer la lumière de votre âme. Vous pouvez devenir plus conscient de la distinction avec le temps et la pratique.

*Toute transmission s'opère
à travers votre âme.*

Il faut qu'il y ait l'accord de votre âme avant que nous puissions nous exprimer à travers vous. Nous communiquons d'abord avec votre âme. Puis votre âme envoie les messages à votre esprit. Que vous soyez conscient ou non pendant la transmission, c'est pourtant toujours à travers votre âme que nous communiquons. C'est pour cela que, même si vous n'êtes pas conscient, la communication laissera une certaine empreinte sur votre âme. Du fait que le message vous parvient par son intermédiaire, il vous donne en général une sensation de familiarité.

Si vous cherchez une preuve que c'est bien un guide que vous transmettez, et non votre moi essentiel, vous ne la trouverez pas nécessairement. Ce qui constitue une preuve est différent pour chaque personne. Peut-être amènerez-vous une information que vous estimerez ne pas pouvoir connaître par vous-même, et vous serez étonné de l'exactitude de vos visions et prévisions. Cela peut constituer pour vous une preuve, sans pour autant en être une aux yeux des autres.

Sur ce point, vous ne pourrez vous fier qu'à votre propre jugement. Certaines personnes affirmeront avec force que c'est leur sagesse supérieure, leur âme ou leur être essentiel qui s'exprime. D'autres éprouveront la certitude que c'est un guide. Si vous obtenez le nom d'un guide, et si vous sentez que c'est un guide qui parle à travers vous, pourquoi ne pas croire en votre conviction profonde ?

Vous pouvez éprouver la sensation que c'est votre âme qui parle, et non un guide. Parfois, c'est effectivement elle qui parle. Et c'est bien d'être le canal de votre être essentiel, ou de votre moi profond, car vous êtes vous-même un être plein de beauté et de sagesse. La sagesse de votre âme est de loin plus grande que vous ne vous permettez de le croire. La sagesse venant des niveaux les plus élevés de votre être essentiel peut être tout aussi éclairée que celle venant d'un guide de haut niveau.

DUANE   En observant des personnes pendant qu'elles transmettent, je vois une réelle transformation dans leur champ d'énergie quand elles s'élèvent hors de ce qu'on appelle le « moi intuitif » — que je vois comme une harmonisation et un apaisement des énergies — pour entrer dans l'espace des guides, attirant l'information en même temps qu'une impulsion d'énergie, de quelque part qui est en dehors d'elles-mêmes. Quand je leur parle, leur signalant le moment où je vois la montée, elles peuvent presque toujours identifier simultanément un changement dans leurs sensations physiques, dans leurs pensées ou dans les messages qu'elles reçoivent.

Obtenir le nom de votre guide

SANAYA ET DUANE   Certaines personnes obtiennent d'emblée le nom de leur guide. D'autres reçoivent des sons ou des lettres, qui plus tard se combinent pour former un nom. Certains disent faire un tel effort pour « bien » saisir le nom qu'ils en sont perturbés. Ce n'est que plus tard, lorsqu'ils sont moins tendus, qu'ils le captent. D'autres ne l'obtiennent que des semaines après l'avoir demandé, d'autres enfin ne l'obtiennent jamais. Les guides nous ont dit moins se soucier du nom « exact » que du fait que les gens soient à l'aise avec un nom. Beaucoup de personnes ont affaire à un nom qui change ou s'altère légèrement au cours des premiers jours de transmission, jusqu'à ce qu'ils soient en résonance avec ce nom, qu'il leur semble juste.

Les guides disent qu'il vaut mieux que le nom de votre guide vous soit donné directement par lui ou elle-même plutôt que par un autre guide, car cela renforce votre connexion. Orin dit aussi : « N'attachez pas trop d'importance à avoir le nom de votre guide dès le commencement. Sur notre plan, nous nous connaissons les uns les autres par nos structures d'énergie, et nous cherchons le nom qui convient le mieux à notre énergie, incluant les noms que nous avons eus dans d'autres vies. »

Pour certains, le fait d'obtenir la première lettre du nom, ou un son, leur permet de travailler par eux-mêmes jusqu'à ce qu'ils trouvent la bonne combinaison de sons ou de lettres. Quelquefois, c'est au cours d'une lecture qu'ils tombent sur un nom et savent que c'est celui de leur guide. Certaines personnes obtiennent plusieurs noms et ont plusieurs guides. Une femme avait douze guides qui s'appelaient eux-mêmes le « Conseil des Douze ». Une autre avait trois guides, s'appelant entre eux « Très Chers ». L'un d'eux répondait à la plupart des questions, mais occasionnellement, selon la nature de la question, un autre pouvait répondre. Un homme demandait sans relâche le nom de son guide, mais celui-ci répondait invariablement : « Nous sommes de ce qui ne peut être nommé. » Une autre femme, dont le guide rayonne de connaissance et de sagesse, n'a jamais obtenu aucun nom. Au bout de deux ans, elle a finalement renoncé à en obtenir un. Quelle que soit votre expérience, c'est celle-là qui est juste.

Beaucoup de personnes ont étudié la signification du nom de leur guide, et ont trouvé qu'il avait pour eux un sens particulier. Une femme qui travaillait sur les essences des fleurs eut une perception auditive de l'énergie de son guide avec le mot « Maya ». En examinant ce nom plus tard, elle découvrit qu'il signifiait « la cueillette des fleurs ». Un homme rêva de lunes pendant toute la nuit qui suivit sa première transmission. Le nom que lui avait donné son guide était Margaret, et quand il étudia ce nom il découvrit qu'il venait d'un mot grec signifiant « perle », lui-même dérivé du mot persan qui veut dire « lune ». Jouez avec le nom et laissez-le évoluer.

Si vous vous sentez prêt pour transmettre, passez au chapitre 6. Si vous souhaitez lire des récits d'expériences de transmission, les nôtres et ceux d'autres personnes, référez-vous au chapitre 10.

DEUXIEME PARTIE

S'OUVRIR POUR TRANSMETTRE

6   ATTEINDRE UN ETAT DE TRANSE

Comment pratiquer les exercices

SANAYA ET DUANE   Si vous désirez entrer en contact avec un guide de haut niveau et apprendre à transmettre, les exercices et les méthodes qui suivent vous y aideront. Ils sont basés sur des méthodes données par Orin et Da-Ben pour le cours « S'ouvrir pour transmettre ». Plusieurs centaines de personnes les ont appliquées et se sont effectivement ouvertes à la transmission. Pour ce livre, Orin et Da-Ben y ont joint des informations supplémentaires qui vous permettent d'apprendre par la seule lecture, sans notre assistance directe ni le support du cours. Orin et Da-Ben vous soutiendront dans l'orientation et l'énergie nécessaires à votre ouverture si vous le demandez, et votre propre guide vous aidera aussi.

Il est préférable de pratiquer ces exercices de façon progressive. Procédez selon votre propre rythme et commencez à votre niveau actuel d'aptitude. Nous les avons groupés en un chapitre pour que vous puissiez, si vous êtes prêt, les faire en totalité, l'un après l'autre depuis le début, en une seule après-midi. Mais vous pouvez tout aussi bien choisir de les étaler sur plusieurs semaines. En vous ouvrant pour transmettre, soyez aimant et patient envers vous-même et laissez une place au jeu dans vos efforts. Ayez présent à l'esprit que vous êtes unique et que votre expérience n'appartient qu'à vous.

Comme pour tout apprentissage, il est important que vous soyez disposé et désireux d'explorer des domaines nouveaux pour vous. Il n'est pas rare que les gens soient excités, et même nerveux ou anxieux, quand ils abordent une possibilité telle que la transmission. N'effectuez ces exercices et procédés que si vous vous sentez prêt à apprendre à transmettre. Si ce n'est pas le cas maintenant, vous souhaiterez peut-être sauter cette partie et passer au chapitre 10, troisième partie, qui contient le récit de nos propres expériences et de celles d'autres personnes. Si votre désir est de transmettre, cela viendra en son temps, et sans doute plus tôt que vous ne pensez.

Vous pouvez vous préparer par vous-même à la transmission; peut-être avez-vous déjà beaucoup fait pour vous y préparer. Il faut avant tout être capable d'atteindre un état de relaxation et de le maintenir et, à partir de là, pouvoir garder une concentration focalisée pendant au moins cinq minutes. La méditation ou l'auto-hypnose vous l'ont peut-être déjà permis.

Si vous vous sentez sûr de votre relaxation et de votre focalisation, passez rapidement les deux premiers exercices pour aller au troisième : « S'harmoniser avec l'énergie de la force de vie ». N'oubliez pas que relaxation et concentration focalisée sont les clés de la transmission et donc, que pour vous développer en tant que channel, vous pouvez travailler sur ces points pour améliorer votre aptitude à transmettre de plus en plus clairement.

Si vous avez du mal à atteindre un état de transe relaxé et focalisé, les deux premiers exercices vous y aideront. Prenez quelques jours pour vous familiariser avec les techniques de relaxation et pour apprendre à vous concentrer en suivant les procédés décrits dans ces exercices. Les cassettes de méditations guidées représentent un moyen de vous amener à l'état de transe. Vous pouvez les fabriquer vous-même ou bien vous servir d'enregistrements réalisés par d'autres. Les exercices sont exposés de façon graduelle, de manière à ce que vous puissiez vous en servir

comme fil conducteur pour faire votre propre enregistrement destiné à vous mettre en transe.

Il y a des moments où il est préférable de ne pas
travailler sur ces exercices, ni d'apprendre à transmettre. Si
vous êtes malade, ou temporairement en état de choc ou
d'affliction, si vous traversez une période de crise, mieux
vaut ne pas apprendre à transmettre. De même, vous ne
choisirez pas d'apprendre à transmettre au moment où
vous endurez de longues phases de dépression ou dans
les périodes où vous êtes épuisé ou physiquement à plat.
Mieux vaut opérer votre première connexion avec un guide
quand vous vous sentez reposé, en bonne santé et positif.
Une fois que vous aurez obtenu une connexion claire avec
votre guide, vous pourrez la mettre à profit pour vous aider
à vous débarrasser des états émotionnels négatifs. Si vous
avez des peurs, des doutes ou des questions irrésolues,
attendez pour transmettre de les avoir examinées à fond
afin de leur trouver une réponse acceptable.

Pour exceller dans la transmission, il en va de même
que dans n'importe quelle autre discipline : étude
persévérante, détermination, désir de réussir, affinité
sincère avec cette méthode et ouverture à tout ce qui peut
vous aider à vous perfectionner. Le meilleur de tous les
professeurs est votre désir de devenir canal d'une grande
clarté.

Les exercices qui suivent représentent, tels qu'ils sont
structurés, une méthode pour apprendre à transmettre.
Chaque fois que vous les utiliserez, allez aussi loin que
vous le pourrez et vous progresserez dans votre habileté à
vous élever et obtenir une connexion avec les royaumes
supérieurs. Servez-vous en pour provoquer votre ouverture
ou créez votre propre méthode. Une fois que vous avez
appris à transmettre et que cette expérience vous devient
familière, nous vous encourageons à ne pas vous attacher
aux formes que vous aurez trouvées ici, pour développer
votre propre style. Nous-mêmes entrons en transe
aisément avec un simple petit rituel, ou sans rituel du tout.

On nous a souvent demandé : « Dois-je m'entourer de lumière blanche ? » Vous pouvez souhaiter, au début, vous imaginer entouré par une bulle de lumière blanche. Cela n'a pas pour but de vous protéger, mais d'accroître votre vibration. Nous n'utilisons cette image d'une bulle de lumière que lorsque nous assistons d'autres personnes, car il semble que cela les aide à laisser leurs doutes de côté et à se maintenir dans un état plus élevé. Quand Sanaya, par la transe, laisse place à Orin, son expérience est de lâcher prise et de s'en remettre à un être supérieur. Avant l'entrée d'Orin, elle ne s'entoure pas d'une bulle de lumière; car lorsqu'Orin vient, il EST lumière.

Il est préférable d'être toujours dans de joyeuses dispositions quand on transmet. Recherchez la joie. Expérimentez ! Ne tombez pas dans le « il faut » ou « je dois ». Plus vous vous habituerez aux états de transe, plus vous découvrirez les subtilités que recèlent ces espaces. Les domaines que vous pouvez explorer quand vous transmettez n'ont pas de bornes. Ce sont des seuils d'accès pour une infinité de nouvelles expériences de croissance.

Pour pratiquer les techniques de relaxation, passez au premier exercice : « Parvenir à se relaxer ». Quand vous êtes capable de vous relaxer, passez au suivant : « Maintenir une concentration focalisée ». Lorsque vous les maîtrisez, passez au troisième : « S'harmoniser avec l'énergie de la force de vie ».

Exercice donné par Orin et Da-Ben
Parvenir à se relaxer

But : cet exercice est la préparation de base pour entrer en transe. Nous souhaitons que votre expérience de la transmission soit détendue, aisée et pleine de joie.

Préparation : choisissez un moment où vous êtes sûr de ne pas être dérangé pendant au moins dix à quinze minutes. Débranchez le téléphone. Si d'autres personnes vivent dans la maison, faites-leur savoir que vous désirez être seul et fermez la porte. Il est surprenant de constater qu'un état apaisé, méditatif, peut attirer les enfants, et d'autres personnes, qui veulent soudain vous parler. Ménagez-vous un environnement agréable, reposant. Portez des vêtements amples; il est important de se sentir à l'aise. Choisissez un moment où vous êtes pleinement éveillé. Si vous venez de manger ou si vous êtes fatigué, remettez à plus tard. Ecoutez une musique apaisante, calme, douce.

Etapes :
1. Trouvez une position assise confortable, que ce soit sur une chaise ou sur le sol, que vous pouvez maintenir sans peine pendant dix ou quinze minutes.
2. Fermez les yeux et commencez à respirer calmement et lentement, prenez environ vingt respirations lentes, rythmées, suivies, dans la partie supérieure de votre poitrine.
3. Détachez-vous de toutes vos préoccupations. Imaginez qu'elles s'évanouissent dans l'air. Chaque fois qu'une pensée vient, imaginez-la écrite sur un tableau noir et, sans effort, effacez-la; ou encore imaginez que vous mettez chaque pensée dans une bulle qui s'envole.
4. Détendez votre corps. Sentez-vous devenir serein, calme, tranquille. Voyagez en imagination à travers votre corps, détendez-en chaque partie. Mentalement, relâchez pieds, jambes, cuisses, estomac, poitrine, bras, mains, épaules, cou, tête et visage. Laissez vos mâchoires s'ouvrir légèrement et détendez les muscles autour de vos yeux.
5. Faites apparaître une bulle de lumière blanche autour de vous. Imaginez sa dimension, sa forme, sa brillance. Jouez avec elle, la grossissant, la rétrécissant, jusqu'à ce qu'elle vous semble de la bonne taille.
6. Quand vous êtes calme, détendu et prêt à revenir, rame-

nez lentement votre attention à la chambre. Savourez et appréciez votre état de calme et de paix.

Evaluation : si vous vous sentez plus calme et détendu que d'ordinaire, non pas par rapport à l'idée que vous vous faites du résultat qu'il faudrait obtenir, mais selon votre état, procédez alors à l'exercice suivant, « Maintenir une concentration focalisée ».

Si vous ne vous sentez pas plus calme et détendu que d'ordinaire, laissez provisoirement cet exercice pour le reprendre à un autre moment, ou bien revenez aux étapes décrites ci-dessus et passez plus de temps à détendre chacune des parties de votre corps. Essayez de mettre au point votre propre méthode, de choisir les idées qui vous amèneront dans un état plus calme et détendu. Si vous ne réussissez pas très bien à vous détendre, il suffit en général d'une pratique quotidienne d'environ vingt minutes, pendant une à deux semaines, pour s'habituer à atteindre la relaxation profonde et la tranquillité intérieure. Ce régime n'est pas absolument indispensable, mais il vous aidera à vous accoutumer à l'état mental qui convient le mieux à l'entrée d'un guide.

La focalisation – élément de l'espace de transmission

ORIN ET DA-BEN *Il est important pour transmettre d'être capable de focaliser, de manière à pouvoir recevoir et émettre de l'énergie en même temps. Si vous soignez quelqu'un, vous cherchez à agir comme un canal, en captant une énergie supérieure et en la dirigeant simultanément vers l'organe ou la fonction que vous voulez guérir. Pour communiquer verbalement l'information venant de votre guide, il vous faudra à la fois recevoir le message et parler. Pour certaines personnes, la grosse difficulté de la transmission réside dans le fait qu'elles reçoivent facilement, mais parviennent mal à parler en même temps. Ce genre de dextérité physico-mentale peut s'acquérir.*

Lorsqu'on s'assied pour méditer ou se relaxer, tout ce qu'on a dans l'esprit vient à la surface. Une femme disait qu'à chaque fois qu'elle s'installait pour transmettre, elle se mettait à penser à tout ce qu'elle avait à faire. Elle pensait aux gens qu'elle avait oublié d'appeler, aux lettres auxquelles elle devait répondre et à toutes les choses dont il fallait qu'elle s'occupe dans sa maison. Elle décida de garder près d'elle un bloc de papier pour y noter toutes ces pensées comme elles venaient. Sûre alors de les retrouver, elle pouvait se relaxer et entrer dans un état de transe plus profonde. Elle disait que si elle ne les notait pas, elle était si inquiète de risquer de les oublier qu'elle avait beaucoup de difficulté à poursuivre et que, finalement, elle s'arrêtait. Ce procédé lui fut très utile. Si vous avez le même genre de problème, voyez si sa solution vous réussit.

Il est important de prendre son temps pour s'habituer aux états d'expansion de conscience. Apprenez à apaiser le flot habituel de vos pensées et à vous concentrer sur une seule idée à la fois. Ne vous inquiétez pas si, au début, vous trouvez difficile de focaliser, car si vous persévérez, cela deviendra plus facile. C'est dans votre habileté à vous concentrer et à diriger votre attention sur un point unique que réside la possibilité d'une connexion claire avec votre guide.

Maintenir une concentration focalisée

But : le mental est par nature actif et rapide. Pour transmettre, il doit développer une certaine aptitude à contrôler sa vitesse et son activité, afin de se concentrer sur le courant d'information venant du guide.

Préparation : soyez en mesure de vous mettre en état de relaxation physique et émotionnelle. Si vous le souhaitez, mettez une musique très douce et apaisante. Si vous le désirez, ayez près de vous papier et crayon.

Etapes :
1. Quand vous vous sentez détendu, choisissez une qualité positive que vous aimeriez apporter dans votre vie, par exemple l'amour, la compassion, la joie ou la paix.
2. Tandis que vous pensez à cette qualité, imaginez toutes les manières dont vous pourriez en faire l'expérience dans votre vie. En quoi la présence de cette qualité changerait-elle votre vie ? Quelles choses feriez-vous différemment si cette qualité était plus forte en vous ? Quels changements cela entraînerait-il dans votre relation avec les autres ?
3. Maintenez ces images et ces pensées le plus longtemps possible, au moins cinq minutes.
4. Surveillez les pensées intruses qui peuvent surgir et qui n'ont rien à voir avec le sujet. Si elles sont importantes au point que vous ayez besoin de vous en souvenir, notez-les sur une feuille afin de pouvoir en libérer votre esprit.

Répétez cet exercice à des moments différents, en vous concentrant sur un objet tel qu'une fleur, un cristal ou tout autre avec lequel vous vous sentez en affinité. Cette fois, observez cet objet — notez sa couleur, sa taille, ses détails — pendant au moins cinq minutes sans pensée intruse. Vous pouvez aussi essayer de vous représenter un grand être, un maître, assis en face de vous. Imaginez que vous le regardez dans les yeux en essayant de vous ajuster à sa vibration supérieure. Voyez si vous pouvez maintenir cette image et cette connexion pendant au moins cinq minutes.

Evaluation : notez pendant combien de temps vous êtes capable de maintenir votre concentration. Cinq minutes représentent un très bon début. Si vous ne réussissez pas à les atteindre, commencez par une minute chaque jour, pendant une semaine environ, jusqu'à ce que vous arriviez à au moins cinq minutes. Quand vous en êtes à cinq minutes ou davantage, passez à l'exercice suivant : « S'harmoniser avec l'énergie de la force de vie ».

Exercice donné par Orin et Da-Ben
S'harmoniser avec l'énergie de la force de vie

But : pour transmettre, il vous est nécessaire de percevoir la présence de votre guide au niveau du senti, de l'intuition. En devenant sensible aux vibrations subtiles de l'énergie de la force de vie, vous commencez à ouvrir votre champ de conscience.

Préparation : vous êtes capable de vous relaxer et de maintenir votre concentration pendant au moins cinq minutes, comme il est décrit dans les deux exercices précédents. Préparez-vous de la même façon que dans l'exercice « Parvenir à se relaxer », y compris l'usage de la musique. Choisissez un moment où vous ne serez pas interrompu et un lieu où vous ne serez pas dérangé. Placez à portée de main des cristaux et des fleurs. (Matériel nécessaire : deux cristaux, de préférence un quartz et une améthyste véritables; deux fleurs, ou plantes, quelles qu'elles soient, pourvu que vous puissiez les toucher.)

Etapes :

1. Mettez-vous dans une position confortable, relaxez votre corps, apaisez vos pensées, calmez vos émotions. Prenez un minimum de deux ou trois minutes pour vous détendre. Imaginez-vous que vous rappelez à vous toute votre énergie éparse dans l'univers. Imaginez que vous libérez l'énergie que vous avez prise chez les autres et que vous l'envoyez vers le haut.

2. Prenez l'un des cristaux dans votre main droite. Souhaitez-lui la bienvenue. Sentez la perfection de sa structure. Imaginez que chaque cristal recèle un type d'énergie particulier qui peut amplifier quelque chose de bon pour vous. Percevez réellement l'énergie contenue dans ce cristal. Questionnez-le mentalement sur sa raison d'être. Voyez si vous pouvez mettre des mots sur ce que vous sentez. Consacrez au cristal au moins deux ou trois minutes de votre attention.

3. Reposez ce cristal et prenez le second. Refaites la même chose avec celui-ci et voyez si vous pouvez percevoir des différences entre les deux cristaux. Peut-être vous semblera-t-il que l'énergie vient de votre imagination. C'est ce qui devrait se passer. Observez que vous POUVEZ percevoir l'énergie à ce niveau subtil.

4. Laissez les cristaux et prenez l'une des fleurs ou touchez l'une des plantes. Saluez-la et faites connaissance avec elle. Observez à quel degré vous êtes capable de sentir sa vie, son énergie. Restez avec elle deux à trois minutes au minimum, à lui parler et à la sentir.

5. Reposez-la et prenez l'autre fleur ou touchez l'autre plante. Saluez-la, faites connaissance avec elle. Observez combien vous pouvez sentir sa vie, son énergie. Notez les différences dans l'énergie de ces deux fleurs ou plantes.

6. Sortez complètement de transe, étirez-vous, ouvrez les yeux. Tout en vous rappelant vos perceptions, imprégnez-vous de la conviction que vous pouvez aisément sentir les énergies subtiles des autres formes de vie. Remémorez-vous le plus grand nombre possible de qualités et de différences que vous avez perçues dans la force de vie des cristaux et des fleurs.

Evaluation : si vous êtes capable de percevoir ces vibrations subtiles, même légèrement, même avec l'impression que vous faites semblant, c'est bon. Passez à l'exercice suivant : « Position et situation de transe ». Si vous ne pouvez rien sentir du tout, refaites cet exercice à d'autres moments jusqu'à ce que vous y arriviez.

Exercice donné par Orin et Da-Ben
Position et situation de transe

But : trouver la situation et la position qui vous aident le mieux à maintenir la transe et vous permettent d'atteindre les niveaux spirituels supérieurs et de vous harmoniser avec eux.

Préparation : vous avez effectué avec succès l'exercice « S'harmoniser avec l'énergie de la force de vie » et acquis la capacité de vous relaxer et de maintenir votre concentration. Mettez des vêtements amples et choisissez une position assise confortable, que ce soit sur le sol ou sur une chaise. Asseyez-vous bien droit, en déroulant bien votre colonne vertébrale, dans une position que vous pouvez conserver pendant au moins vingt minutes. Si vous êtes sur le sol, mettez si vous le désirez un coussin sous vos fesses. Il est préférable que votre corps physique ait un certain confort, pas nécessairement sans aucune gêne, mais de manière à ce que vous ne soyez pas distrait par une douleur ou une gêne. Veillez à ce qu'il ne fasse ni trop chaud ni trop froid. Mettez une musique de votre choix, qui vous porte à un sentiment d'élévation spirituelle.

Etapes :

1. Fermez les yeux et commencez à détendre votre corps, calmer vos émotions, apaiser votre mental. Prenez deux à trois minutes au moins pour vous relaxer et apaiser vos pensées. Rappelez à vous toute l'énergie que vous avez éparpillée dans l'univers.

2. Imaginez-vous que vous allez vous envoler pour un voyage dans les royaumes supérieurs de lumière et d'amour. Ajustez votre énergie de manière à commencer à vous sentir dans un espace spirituel élevé. Utilisez des images, quelles qu'elles soient, qui évoquent pour vous cette sensation particulière. Imaginez que vous êtes sous la voûte de la nuit étoilée ou rappelez-vous la sensation de révérence que vous avez pu éprouver dans une église ou un temple. Mettez-vous en contact avec tout ce qui peut vous conduire en état d'élévation, et vous permet de vous sentir plus uni avec le Dieu intérieur.

3. Laissez-vous aller à ces dispositions. Peut-être voudrez-vous ajuster votre position. Essayez avec de légers mouvements du visage, du cou et des épaules. Cherchez les positions vous permettant de vous sentir le plus en expansion et d'avoir des pensées plus élevées. Prenez une profonde inspiration avec le haut de la poitrine. Observez ce qui change dans votre posture et dans votre port de tête. Laissez aller votre tête, comme si elle flottait. Elle peut s'incliner légèrement vers l'avant ou l'arrière, à gauche ou à droite. Jouez avec son angle d'inclinaison. Laissez vos pensées se ralentir. Laissez votre estomac se détendre. Observez combien les moindres changements de position entraînent de grandes modifications dans votre façon de sentir.

4. Faites l'expérience de vos sens intérieurs. Ecoutez à travers chacun de vos sens. Notez qu'une bonne part de votre bavardage intérieur et de vos préoccupations est en train de s'en aller. Remarquez également que vous avez une perception plus aiguë des choses qui vous entourent, des sons, des odeurs et des énergies dans la pièce. Utilisez cette lucidité pour accroître votre élévation.

5. Observez votre respiration. Laissez vos mains et vos poignets se détendre. Peut-être éprouverez-vous un certain fourmillement ou une augmentation de chaleur quand vous commencerez à ouvrir le canal qui vous relie à l'énergie supérieure. Laissez-vous vous ouvrir aux royaumes supérieurs, au-delà du plan terrestre. Représentez-vous chacune des cellules de votre cerveau droit, la part réceptive de votre esprit, reflétant parfaitement les plans supérieurs de réalité, tout à fait comme des miroirs. Imaginez l'énergie supérieure coulant de votre cerveau droit à votre cerveau gauche, la partie consciente, avec une précision et une clarté parfaites. Regardez votre esprit comme s'il était un lac pur de montagne reflétant les royaumes supérieurs. Absorbez-vous dans cette vibration supérieure pendant quelques minutes.

6. Allez aussi haut que possible avec votre esprit. Vous pouvez éprouver un sens d'amour et de compassion bien plus grand qu'à l'ordinaire. Continuez à vous sentir centré, équilibré, aimant et ouvert. Essayez de faire l'expérience d'entrer et de sortir de cet espace. Notez de quelle façon votre corps suit le changement. Observez comment vous pouvez influencer cette sensation directement et spontanément par vos pensées. Lorsque vous avez exploré une partie de ce qui est possible en cet espace, revenez dans la pièce, complètement présent et lucide.

Exercez-vous à évoluer dans cet espace de transmission dans des circonstances et des lieux variés. Apprenez à identifier les périodes de la journée où vous pouvez vous trouver spontanément dans l'espace de transmission : en vous concentrant sur la solution d'un problème; quand vous débordez d'amour pour quelqu'un, peut-être en l'aidant de vos conseils; quand vous peignez, dessinez, enseignez, etc. Ne laissez aucune position spécifique, aucun jeu de circonstances particulières devenir un rituel indispensable. Apprenez à établir un bon lien ou à parvenir à l'espace de transmission en toutes sortes de circonstances.

Evaluation : si cet exercice vous a donné un sens de l'amour et de la compassion plus grand qu'à l'ordinaire, ou une impression d'expansion, passez au chapitre 7 : « La connexion avec votre guide ». Si vous avez trouvé cela particulièrement difficile, peut-être compliquez-vous les choses. Relaxez-vous, abandonnez toutes vos idées préconçues sur ce que vous devriez éprouver et retravaillez cet exercice — à votre propre rythme.

7   LA CONNEXION AVEC VOTRE GUIDE

Salutations et accueil

ORIN ET DA-BEN   *Vous y êtes ! Le moment de vous ouvrir pour transmettre est venu. Vous en avez rêvé, vous avez lu à ce sujet, vous y avez réfléchi, et à présent vous allez le faire !*

Dans la première phase du processus, vous allez être accueilli par les guides, vous appellerez votre guide particulier et vous aurez une conversation « mentale » avec lui ou elle. Vous pourrez déterminer si c'est le guide que vous souhaitez transmettre verbalement; dans l'affirmative, vous pratiquerez la méthode qui suit : « Transmettre votre guide par la parole ».

S'il y a déjà un moment que vous avez lu le début de ce livre, nous vous suggérons de relire les chapitres 3, 4 et 5, qui traitent de qui sont les guides, à quoi ressemble le fait de transmettre et comment les guides communiquent avec vous.

Ne pratiquez ces méthodes que si vous vous sentez prêt, en bonne santé, dans un état émotionnel positif, et que si vous sentez que vous avez résolu la majorité de vos questions sur la manière de reconnaître un guide élevé. N'oubliez pas ceci : vous n'êtes pas seul dans ce travail. En fait, l'une des raisons qui rendra probablement la transmission plus facile que vous ne vous y attendez est que vous recevrez l'aide de votre guide.

Méthode donnée par Orin et Da-Ben
Cérémonie d'accueil au royaume des guides et première rencontre avec votre guide

But : vous souhaiter la bienvenue au royaume des guides et vous permettre de vous imprégner du sentiment cons- cient du guide que vous allez transmettre.

Préparation : avoir accompli avec succès les exercices du chapitre 6 : « S'harmoniser avec l'énergie de la force de vie » et « Position et situation de transe », avant de pratiquer cette méthode. Mettez une musique belle et apaisante, qui vous procure un sentiment de révérence et d'élévation; choisissez une musique qui vous a déjà porté dans un sentiment d'expansion, comme dans l'exercice « Position et situation de transe ».

Etapes :
1. Mettez-vous en position de transe; assurez-vous d'être confortablement installé, le dos bien droit. Examinez encore une fois la position de votre corps, en partant des pieds. Vérifiez comment sont placés vos mains, votre dos et vos jambes. Prenez conscience de votre respiration. Fermez les yeux et prenez quelques inspirations profondes. Entrez dans l'état de transe auquel vous vous êtes exercé.
2. Imaginez que vous montez de plus en plus haut, que vous transcendez la réalité ordinaire et entrez dans une dimension supérieure d'amour, de lumière et de joie. Imaginez-vous baigné de lumière; sentez l'espace autour de vous, plein de beauté, de douceur, de lumière blanche.

3. Imaginez que de nombreux êtres de lumière s'approchent à votre rencontre. Sentez leur amour et leur attention pour vous. Ouvrez votre coeur pour les accueillir. Imaginez les portes qui s'ouvrent, entre votre plan de réalité et le leur. Eprouvez la présence de nombreux êtres élevés, pleins d'amour autour de vous, vous souhaitant la bienvenue dans leurs royaumes supérieurs, où demeurent la joie et l'amour inconditionnel. Imaginez-les ménageant pour vous une porte d'accès.

4. Prenez conscience que cette connexion qui est en train de s'opérer n'est pas une simple coïncidence. Remémorez-vous toute la suite d'événements qui ont conduit jusqu'à ce moment, les rencontres fortuites, les livres et les changements qui se sont déjà produits dans votre vie. Votre guide et les autres guides vous connaissent et formulent à votre intention un voeu particulier de bienvenue pendant que vous vous approchez pour les rejoindre.

5. Imaginez devant vous un portail. Au-delà de ce portail s'ouvre un monde de lumière, de vibration supérieure, et pour vous de croissance accélérée. Regardez en vous-même, en votre coeur, et demandez-vous si vous êtes prêt à un grand engagement vis-à-vis de vous-même et de votre voie de service. Lorsque vous êtes prêt, passez à travers le portail. (Si vous n'êtes pas prêt maintenant, il n'y a aucun problème à choisir un autre moment pour franchir ce portail, même dans plusieurs semaines.) Sentez la lumière se déverser en vous, vous guérissant et vous purifiant. Acceptez cette nouvelle intensité de lumière dans votre vie. Prenez conscience que ce portail est très réel et que votre vie va commencer à changer dès l'instant où vous l'aurez franchi.

6. Il existe un plan pour l'évolution humaine et ce plan est communiqué par de nombreux grands êtres. Assis en silence, ajustez votre réceptivité pour capter cette communication. Faites comme si toutes vos énergies étaient alignées sur ce plan, en sorte que sur le chemin qui s'ouvre aujourd'hui, chaque chose que vous ferez soit en accord avec ce plan plus vaste. Vous serez un canal pour la lumière dans tout ce que vous entreprendrez dans votre progression.

7. Continuez à ajuster votre attitude, tandis que vous vous élevez de plus en plus. Demandez que vienne à vous le guide et le maître le plus élevé qui soit en résonance avec vous. Imaginez votre guide, un guide spécifique, venant à vous. Tournez vos sens vers ce guide, percevez l'amour qu'il ou elle a pour vous. Soyez ouvert, réceptif. Sentez votre coeur accueillir ce guide. Sentez la réponse. Soyez sûr que cela est bien réel ! Votre imagination est la faculté la plus adéquate qui soit pour transmettre, et c'est le moyen le plus facile par lequel votre guide puisse commencer à établir la connexion avec vous.

8. A quoi ressemble votre guide, qu'éprouvez-vous envers lui ou elle ? Laissez venir les impressions. Ne mettez aucune censure, aucun jugement, sur les sensations, les images, les impressions, les messages que vous captez. Familiarisez-vous avec ce sentiment supérieur de votre guide.

9. Saluez mentalement votre guide. Demandez-lui si il ou elle vient de la lumière. Dites fermement que vous cherchez le plus haut guide possible qui soit en accord avec vous, pour votre bien et votre progrès spirituel. Si vous le souhaitez, entretenez avec ce guide une conversation mentale, jusqu'à ce que vous ne sentiez plus aucune retenue à le ou la laisser s'approcher. Si vous ne vous sentez pas bien avec ce guide, demandez-lui s'il ou elle a quelque chose d'important à vous communiquer, puis demandez-lui de partir. Demandez à nouveau qu'un haut maître d'enseignement et de guérison vienne vers vous. (Si vous avez des doutes sur ce point, référez-vous à nouveau au chapitre 4.) Quand vous vous sentez bien vis-à-vis de ce guide, passez à l'étape suivante.

10. Demandez à votre guide de faire tout ce qui est en son pouvoir pour ouvrir le canal, à présent que vous êtes décidé et prêt à transmettre par la parole. Demandez-lui de vous envoyer un message mental s'il y a quoi que ce soit que vous devez faire pour vous préparer à transmettre verbalement.

11. Quand vous avez reçu ces messages, remerciez tous les êtres de lumière et ressentez l'estime qu'ils ont pour vous. Remerciez votre guide et demandez-lui de vous assister dans votre préparation à transmettre verbalement. Prenez congé et revenez lentement et sans à-coups à votre réalité habituelle. Vous avez à présent établi la connexion avec le guide que vous allez transmettre par la parole.

Evaluation : si vous avez pu franchir le portail et percevoir et rencontrer mentalement votre guide, passez à la métho- de suivante : « Transmettre votre guide par la parole ».

Si vous avez pu franchir le portail, sans pourtant pouvoir percevoir ni parler mentalement avec un guide, pratiquez de nouveau cette méthode à un autre moment. Ne passez pas à la suivante avant d'avoir mentalement rencontré et conversé avec votre guide.

Si vous ne vous sentez pas prêt à franchir le portail, ne passez pas à la méthode suivante. Franchir ce portail et faire ce grand engagement de vous-même sont des étapes très importantes. Avant de les franchir, peut-être souhai- terez-vous lire dans les chapitres 10 à 13 les expériences de transmission de Sanaya, Duane et d'autres personnes. Lorsque vous êtes fermement décidé à franchir le portail, répétez cette méthode, jusqu'à ce que vous ayez établi une bonne connexion mentale avec votre guide.

SANAYA   Lorsqu'Orin m'offrit pour la première fois l'opportunité de franchir le portail, il me fallut trois semaines pour pouvoir dire « oui ». Je dus d'abord y réfléchir avec une extrême application. Dès les premiers jours qui suivi- rent mon passage « mental » de ce portail, ma vie commen- ça à être bouleversée. Des occasions de servir et d'aider les autres se mirent à affluer de partout. L'expérience de

Duane fut à peu près identique. Il prit lui aussi un temps de réflexion avant de s'engager. Lui aussi connut très vite de grands changements dans son existence.

Méthode donnée par Orin et Da-Ben
Transmettre votre guide par la parole

But : cette méthode a pour but de faire passer votre guide par votre voix, de connaître son nom et de répondre à des questions en état de transe.

Préparation : vous avez préalablement réussi tous les exercices et la méthode qui précèdent. Lisez celle-ci du début à la fin avant de l'appliquer, afin de vous familiariser avec sa ligne directrice. A chaque fois que vous transmettrez verbalement, utilisez un magnétophone. Vous tirerez des enseignements précieux de votre transmission en la réécoutant. Regardez où se trouve le micro sur votre appareil, afin de ne pas le tenir trop loin de vous ni le recouvrir, ou bien utilisez un micro séparé. Notez sur la cassette la date, la face et, s'il y a lieu, le sujet sur lequel vous transmettez, et placez-la dans le magnétophone. Faites des essais pour vous assurer que le micro et l'appareil sont bien réglés en fonction de votre voix. Tel est votre dispositif pour transmettre. Il vous permettra de vous remémorer votre transmission et de la sauvegarder pour un usage futur. Entourez de lumière magnétophone et micro, visualisez-les en train de recevoir votre transmission. En état de transe, peut-être éprouverez-vous des difficultés à effectuer des manipulations mécaniques. N'oubliez pas de mettre l'appareil en marche et d'enfoncer les touches adéquates. Assurez-vous d'avoir en mémoire les parties précédentes de ce livre concernant la première entrée d'un guide et la manière d'obtenir son nom. Tenez prêtes les « Questions à poser à votre guide », y compris les « Questions person- nelles ». Vous pouvez, si vous le désirez, enregister ces questions et les tenir prêtes pour les passer sur un second magnétophone. Si vous pratiquez avec un ami, confiez-lui ces questions pour qu'il vous les pose et veillez bien à ce qu'il ait lu les « Instructions pour assister et guider un partenaire pendant la première rencontre ».

Nous vous suggérons de ne pas rester en transe plus de quarante minutes environ la première fois. Une séance plus longue n'entraîne pas de risque, mais peut s'avérer fatigante. Si, à un moment ou à un autre, vous sentez la connexion s'affaiblir, ou si vous sentez la fatigue vous gagner, sortez complètement de transe. Vous avez déjà opéré la connexion initiale, le reste viendra en son temps. Attendez une heure ou plus avant de vous mettre à nouveau en transe.

Etapes :
1. Si vous le désirez, mettez une musique qui vous aide et placez-vous en position assise, confortablement, le dos bien droit. Fermez les yeux, prenez votre position de transe et entrez dans votre état de transe. Respirez profondément et lentement, par le haut de la poitrine. Imaginez une lumière d'or se dirigeant vers un point situé à l'arrière de votre tête et en haut de votre cou pour activer la connexion. Si vous le voulez, entourez-vous de l'image d'une bulle de lumière blanche.
2. A présent, imaginez un flot d'énergie et de lumière passant à travers votre gorge et vos cordes vocales. Ouvrez cette zone à la haute et douce énergie de votre guide. Il est efficace de prononcer la syllabe « om » sur chaque expiration. Détendez-vous toujours plus profon- dément et répétez ce son pendant plusieurs minutes. Laissez sa vibration vous élever.
3. Soyez convaincu que vous pouvez établir cette con- nexion avec facilité. Ajustez votre énergie de manière à

vous sentir en contact avec les royaumes supérieurs de lumière et d'amour. Imaginez qu'une fois encore vous vous élevez jusqu'à eux, dans une expansion de vous-même, et que les guides, une nouvelle fois, ménagent pour vous le passage que vous allez franchir.

4. Appelez à vous le même guide que vous avez rencontré précédemment. Saluez-le, ou -la, à nouveau. Vous pouvez souhaiter discuter mentalement avec ce guide encore une fois. Assurez-vous que ce guide évoque pour vous élévation, amour et sagesse. Quand vous vous sentez en confiance et prêt, appliquez-vous à laisser votre guide s'approcher et entrer dans votre aura et dans votre énergie.

5. Maintenant, imaginez que vous invitez votre guide à entrer plus pleinement dans vos systèmes d'énergie. Imaginez-le pénétrant doucement votre aura et venant, paisible et attentionné, tout près de vous. Ressentez sa présence devenir plus forte. Continuez à resserrer la connexion. Demandez à votre guide de vous assister. Vous pouvez, si vous le désirez, continuer à opérer de très légères modifications dans la position de votre tête et de votre cou, pour intensifier la connexion et garder ouvert le passage d'énergie à l'arrière de votre tête et de votre cou. Imaginez votre guide se joignant à vous, de telle sorte que vous êtes assis dans sa lumière, mais observez également que votre énergie personnelle demeure inviolée. Représentez-vous votre sens de vous-même inébranlé et votre sentiment de « moi » intact.

6. A présent, laissez votre guide entrer complètement dans votre aura. Sa vibration est très légère, empreinte d'attention et de sagesse, et vous éprouvez très certainement le sentiment de cette présence pleine d'amour qui vous enveloppe. Peut-être sentez-vous votre guide comme s'il, ou elle, amplifiait ce qu'il y a de meilleur en vous. Ce devrait être une sensation de bien-être. Ne continuez à vous ouvrir que si vous sentez que votre guide est élevé et qu'il affirme clairement qu'il vient de la lumière.

S'il y a une sensation de lourdeur, de résistance, de négativité, ne continuez pas à laisser venir ce guide. Demandez un guide plus élevé et dites à celui-là de s'en aller.

7. Observez vos émotions. Il se produit souvent un élan de compassion quand nous nous joignons à vous, car nous sommes des êtres d'amour. Peut-être éprouvez-vous un sens de sérénité et de paix. Nous savons qu'il faut du temps et de la pratique pour renforcer la connexion. Vous pouvez faire appel à notre énergie, à nous Orin et Da-Ben, pour vous aider dans cette ouverture. Nous vous applaudissons pour votre détermination à opérer ce lien initial.

8. Imaginez, à présent, la connexion devenant encore plus forte. Si votre mental vous dit : « c'est sans doute moi qui invente tout ça » ou demande : « suis-je réellement en contact avec un guide ? », laissez cette pensée s'en aller et, pour ce qui est de maintenant, soyez assuré que vous avez en effet établi une connexion avec un guide de haut niveau, même si vous ne pouvez percevoir ni prouver la réalité de ce fait.

9. Mettez votre magnétophone en route. Demandez à votre guide un nom ou un son par lequel vous puissiez le ou la connaître. Accordez-vous beaucoup de temps. Si vous ne recevez pas un nom, demandez-en la première lettre, ou un son. Assurez-vous de retenir le nom. Il se peut que vous et votre guide changiez ce nom au bout de quelques semaines. Certaines personnes ressentent la présence de plus d'un guide; il peut leur parvenir plusieurs noms. Si vous obtenez un nom, passez à l'étape suivante. Tout est très bien si aucun nom ne vous parvient la première fois — ni même jamais — car tous les guides ne choisissent pas de prendre un nom. Si, au bout d'un petit moment, vous n'avez pas obtenu de nom, passez à l'étape suivante.

10. Commencez à transmettre, en posant des questions à votre guide. Prenez-les parmi les « Questions à poser à votre guide quand vous commencez à transmettre ». Si vous éprouvez des difficultés à recevoir des réponses aux questions de nature universelle, posez à votre guide des questions vous concernant personnellement. Si vous n'obtenez pas de réponses spécifiques, observez si vous captez des images ou des symboles, et exprimez-les. Si vous ne recevez pas de réponses aux questions et ne captez pas non plus d'images, demandez à votre guide d'ouvrir et de renforcer davantage la connexion. Puis, pour démarrer votre transmission verbale, décrivez à voix haute une sensation physique que vous éprouvez ou une impression, quelle qu'elle soit. Enregistrez vos réponses. Si vous trouvez difficile de parler directement, comme si c'était vous le guide, situez-vous en tant qu'intermédiaire, par exemple en disant : « Mon guide dit... », pour démarrer. Si vous ressentez une gêne, demandez à votre guide de vous aider à ouvrir la zone d'où elle provient.

11. Quand vous et votre guide avez trouvé le mode convenable pour répondre aux questions, continuez avec d'autres questions, aussi longtemps que vous vous sentez à l'aise. Lorsque vous ou votre guide en avez terminé, avant de rompre la connexion, savourez un instant la quiétude de l'énergie de votre guide. Parler n'est pas nécessaire. Découvrez l'harmonie que procure cet état.

12. Quand vous le désirez, demandez à votre guide de renforcer la connexion afin qu'elle s'établisse encore plus aisément la prochaine fois que vous transmettrez.

13. Quand vous avez terminé, remerciez votre guide et soyez réceptif à sa gratitude à votre égard. Sortez de transe complètement. Etirez-vous, bougez, ouvrez les yeux et retrouvez un état de conscience pleinement alerte et lucide.

Evaluation : nous vous félicitons pour votre ouverture pour transmettre, vous avez noué une relation tout à fait spéciale. Bienvenue à la joie et à l'aventure qui sont devant vous. Lisez, s'il vous plaît, et joignez-vous à la « Cérémonie de réception » qui se trouve à la fin de ce chapitre.

Si vous n'avez pas contacté votre guide, reprenez à nouveau cet exercice, jusqu'à ce que vous y parveniez. Concentration, patience et persévérance sont en général sollicitées dans le développement de la faculté de s'élever jusqu'à l'accord vibratoire juste. Continuez encore à demander à votre guide de vous aider dans votre connexion, et réservez-vous quelques moments de tranquillité et de solitude pour que votre guide puisse vous atteindre. Si la première fois, vous avez essayé cette méthode par vous-même, peut-être souhaiterez-vous, la fois prochaine, vous assurer le concours d'un ami, qui puisse poser les questions et être à l'écoute des réponses de votre guide. (Référez-vous aux « Instructions pour assister et guider un partenaire pendant la première rencontre ».)

Si, après plusieurs tentatives, vous n'avez pas établi la connexion, vous pourrez choisir d'utiliser une autre méthode; par exemple, après avoir invité votre guide à entrer, vous pouvez laisser passer le courant des idées à travers votre esprit jusqu'à vos mains jouant sur un clavier d'ordinateur, une machine à écrire ou avec une feuille et un crayon. En certains cas, il se trouve plus facile d'obtenir la première transmission de cette façon.

Si, une fois sorti de transe, vous vous sentez planer, c'est que vous n'avez pas complètement interrompu la connexion. Donnez-vous pour instruction de sortir de transe totalement, par exemple en vous étirant et en marchant. Si l'impression de planer persiste, faites un tour dehors ou promenez-vous dans la maison. Trouvez une occupation qui sollicite votre cerveau gauche, la pensée analytique.

Nous vous avons enseigné à transmettre les yeux fermés, car il est plus facile de se concentrer sur un point focal et de capter les messages intérieurs quand les stimuli visuels sont supprimés. La plupart des gens préfèrent continuer à transmettre les yeux fermés; malgré tout, il est possible, et tout à fait valable, de transmettre en gardant les yeux ouverts.

Questions à poser à votre guide quand vous commencez à transmettre pour la première fois

SANAYA ET DUANE Si vous ne disposez pas du concours d'un ami pour pratiquer ces méthodes, vous souhaiterez peut-être vous munir d'un second magnétophone où vous aurez enregistré les questions qui suivent, en ménageant entre elles de longues pauses. Lorsque la connexion s'établit avec votre guide, mettez ce second appareil en lecture; vous pourrez de cette manière répondre aux questions en maintenant votre transe. Si un ami vous assiste, demandez-lui de poser ces questions à votre guide. Si votre guide répond par de très courtes répliques, demandez plus de détails sur la question. La raison d'être de ces questions est d'établir et de stabiliser une connexion verbale avec votre guide.

Certains trouvent que les réponses aux « Questions de nature universelle » viennent plus facilement quand ils commencent à transmettre, mais ce n'est pas le cas pour tout le monde. Si vous avez de la difficulté à recevoir des réponses à ces questions de nature universelle, posez les « Questions vous concernant personnellement », que vous trouverez plus loin. Si vous n'obtenez pas de réponses spécifiques, mais que vous percevez des images et des symboles par votre regard intérieur, exprimez verbalement ces images.

Questions de nature universelle

1. Est-il possible de vivre avec une joie réelle ? Qu'est-ce que la joie réelle ? Comment peut-on distinguer la joie véritable de l'illusion de la joie ? Y a-t-il une différence entre la joie du soi supérieur et celle de la personnalité ? Est-il possible d'éprouver les deux en même temps ?

2. Le soi supérieur est-il différent du moi que l'on connaît d'ordinaire ? Comment peut-on atteindre le soi supérieur ? Est-il le même pour chaque personne ? A quoi ressemble le sentiment du soi supérieur ?

3. Quelle est la fonction de la volonté ? Peut-on la mettre en oeuvre sans effort ? De quelles autres manières peut-on la mettre en activité pour obtenir ce que l'on veut ? Comment une personne peut-elle mettre sa volonté à son service ? Que peut-elle faire pour produire les résultats qu'elle veut (par quelles méthodes, techniques, etc.) ?

4. Comment pourrait-on apporter plus de lumière dans sa propre vie ?

5. Chaque personne a-t-elle un but de vie ? Quelles sont certaines des raisons pour lesquelles les personnes choisissent de naître ? A quel genre de tâches les personnes travaillent-elles dans leur existence terrestre ?

6. Existe-t-il vraiment un univers d'abondance et de fraternité ?

7. Est-il possible d'être affecté par les pensées ou les émotions des autres ? Comment reconnaître qu'on a été affecté par les autres et que faire face à cela ?

8. Y a-t-il une raison d'être à toute relation ? Chacune des choses que l'on voit dans une autre personne est-elle un reflet de ce sur quoi on est soi-même en train de travailler ? Est-il vrai qu'en se changeant soi-même on peut changer ses relations avec les autres ?

9. Le futur est-il prédéterminé ? Y a-t-il un libre arbitre ? Que gagne-t-on à disposer du libre arbitre ? Comment pourrait-on créer les lendemains que l'on souhaite ?

10. La terre elle-même a-t-elle une conscience ou une force de vie ? Quelle est sa nature ? Que veut la terre à l'heure actuelle; est-elle en train de lancer des messages ?

11. Que peut faire maintenant un individu pour contribuer à la paix dans le monde ? Que peut faire un individu pour contribuer à la préservation de la nature ?

12. Quelles raisons y a-t-il pour apprendre à transmettre ? En quoi cela sera-t-il utile, pour moi et pour l'humanité ?

Questions suggérées par Orin et Da-Ben
Questions d'intérêt personnel

Certains trouvent que ces questions suscitent plus facilement des réponses que les « Questions de nature universelle ». Posez à votre guide plusieurs de ces questions. Si vous n'obtenez aucune réponse et si vous n'êtes pas assisté par un ami, enregistrez une description de ce que vous éprouvez, y compris vos pensées, vos sensations physiques, etc. Il est important de se mettre à parler, même si, au début, ce qui vient vous ressemble plus à vous-même qu'à votre guide. Une fois établie la connexion verbale avec votre guide, revenez aux « Questions de nature universelle ».

Questions générales

1. Quelle est la raison d'être de ma vie ?

2. Quelles sont mes leçons dans cette existence ?

3. Comment puis-je produire plus d'abondance dans ma vie ?

4. Que suis-je en train d'apprendre dans ma relation avec .... ?

5. Quelle est pour l'heure ma voie la plus haute ?

6. Comment puis-je au mieux exprimer mes facultés créatives ?

7. Comment puis-je parvenir à la sérénité intérieure ? Que ressentirai-je avec cette paix intérieure ?

Questions personnelles

Ajoutez les questions auxquelles vous souhaiteriez que votre guide réponde :

1. . . . .

2. . . . .

3. . . . .

4. . . . .

5. . . . .

Instructions pour assister et guider un partenaire pendant la première rencontre

Si vous assistez quelqu'un dans son ouverture pour transmettre, lisez avec soin ces instructions. Ce moment est tout à fait spécial pour celui qui transmet, et peut l'être tout autant pour vous. En tant qu'assistant, vous serez d'un secours inestimable pour votre ami quand il s'ouvrira à son guide pour la première fois. Vous pouvez lire la méthode opératoire à votre partenaire et l'aider tandis qu'il entre en transe et connecte son guide. Vous pouvez veiller au fonctionnement du magnétophone, vous assurant qu'il est en place et prêt pour enregistrer les réponses du guide aux questions.

Faites entrer votre partenaire en transe en suivant les instructions 1 à 8 de la méthode « Transmettre votre guide par la parole ». Une fois qu'il est en transe et qu'il a fait venir son guide, mettez le magnétophone en marche et demandez le nom du guide. Si un nom est reçu, demandez comment il s'épelle et écrivez-le. S'il n'est pas donné de nom, demandez à votre partenaire s'il reçoit une lettre ou un son. S'il n'y a toujours pas de réponse, demandez au guide s'il ou elle est prêt(e) à répondre à des questions. A partir de ce moment, vous serez d'une aide précieuse en vous adressant directement au guide, en employant son nom s'il en a donné un. Si le guide est d'accord, commencez par poser des « Questions de nature universelle ». Si le transmetteur a du mal à recevoir des réponses à ce type de questions, passez à des « Questions d'intérêt personnel ». Si votre partenaire a encore de la difficulté à établir une connexion vocale, posez lentement quelques « Questions sur les sensations physiques ». Amener le transmetteur à commencer à parler en état de transe est la chose la plus importante que vous puissiez faire à ce moment-là.

Le but de ces questions est d'arriver à ce que le transmetteur ouvre le centre de la gorge pour parler. Ne vous inquiétez pas s'il n'y a pas de réponse immédiate. Vous savez que certaines personnes hésitent longtemps avant de répondre à une question; laissez au transmetteur tout le temps qu'il lui faut. Le silence signifie souvent qu'il est en train d'accéder à son guide, donnez-lui donc le temps suffisant pour « trouver » les réponses. Si le transmetteur répond aux questions par des répliques très courtes et rapides, invitez-le à donner plus de détails — peut-être en lui posant des questions sur un certain point de la réponse; intéressez-vous au message.

Si le transmetteur a établi une connexion verbale, mais a encore du mal à capter les réponses, posez des questions sur quelqu'un qu'il ne connaît pas, un de vos amis à vous, que vous connaissez suffisamment bien pour être en mesure d'avoir ensuite une opinion valable sur les réponses. Dites au guide le nom de cet ami, puis posez des questions de cet ordre : « Comment puis-je aider cette personne ? » ou « Que suis-je en train d'apprendre dans ma relation avec elle ? » Ne demandez pas de prédictions, ne posez pas de questions qui appellent des réponses détaillées, telles que des dates ou des échéances.

Il est préférable que votre partenaire ne reste pas en transe pour une durée qui dépasse vingt à quarante minutes au total. A sa sortie de transe, votre réaction positive et votre enthousiasme aideront à consolider la connexion. Si votre partenaire n'a pas établi un lien verbal avec son guide, encouragez-le et recommencez cette méthode à un autre moment.

Questions suggérées par Orin et Da-Ben
Questions de l'assistant sur les sensations physiques

Ne posez ces questions qu'au cas où votre partenaire n'est pas en mesure d'amener une réponse verbale aux « Questions à poser à votre guide ». Dès qu'il se met à parler aisément, revenez aux « Questions de nature universelle ».

1. As-tu des sensations physiques ?
Que ressens-tu dans ton corps ?
2. Quelles sont tes émotions en cet instant ?
3. Vois-tu ou entends-tu quelque chose ?
4. Décris, du mieux que tu peux, ce dont tu es en train de faire l'expérience.

Si le channel ne ressent rien, ou s'il a de la difficulté à répondre à ces questions, demandez au guide s'il peut renforcer la connexion. Si votre partenaire dit qu'il se sent bloqué, demandez au guide de lui montrer que faire. Votre attitude positive et attentionnée est la chose la plus importante pour aider le guide à s'exprimer par le canal de votre partenaire. Vos encouragements, votre intérêt, votre patience et votre amour sont les qualités les plus hautes que vous puissiez offrir.

Cérémonie de réception - félicitations pour votre ouverture au channeling

ORIN ET DA-BEN *Lorsqu'un guide a été connecté consciemment, il y a beaucoup de joie sur notre plan d'existence. Nous exultons à cette ouverture et nous célébrons ce moment où nous atteignons la terre avec notre lumière. Ce n'est pas seulement votre guide qui se réjouit d'avoir obtenu cette connexion consciente, mais tous nous célébrons votre réussite à communiquer avec nous. Nous la célébrons avec amour. Votre conscience étendue jusqu'à nos sphères est semblable à la naissance d'une nouvelle vie. C'est votre naissance à la lumière.*

*Nous célébrons le moment
où vous établissez une connexion avec nous.*

A présent que vous vous êtes ouvert pour transmettre, beaucoup de changements positifs vont survenir dans votre vie, si vous les souhaitez. Vos désirs seront comblés bien plus rapidement que par le passé. Tandis que vous évoluerez spirituellement, votre précision à l'égard de vos souhaits prendra une importance croissante. Pensez-y avec soin, car ils seront exaucés. Si tous vos désirs se réalisaient dès maintenant, quel serait donc le prochain ? Cette question se posera, car beaucoup de vos objectifs vous deviendront accessibles. Faites un emploi positif des pensées et des mots, prêtez attention à la façon dont vous parlez. Vous serez plus étroitement en contact avec l'esprit universel. Vous pourrez accéder aux domaines supérieurs de créativité, d'essence et de lumière. L'influence de vos paroles et de vos pensées aura plus de poids. Vous aurez progressivement plus de pouvoir pour soigner ou pour blesser par vos paroles ou vos pensées. Etablissez positivement vos besoins et vos désirs. Concentrez-vous sur ce que vous voulez plutôt que sur ce que vous ne voulez pas, parce que vous obtiendrez ce sur quoi vous êtes concentré. Utilisez des paroles d'élévation et intéressez-vous à ce qui est bon et juste chez les gens plus qu'à ce qu'ils font de travers.

Bienvenue dans nos royaumes de lumière.

La vie n'a nul besoin d'être pénible. Vous n'avez plus besoin de vous battre. Nous pouvons vous aider à vous aider vous-même. N'oubliez pas de nous le demander, car nous ne pouvons vous porter assistance que lorsque vous en faites la demande. Vous obtiendrez de l'aide dans tous les domaines de votre vie. Votre guide vous aidera à acquérir tous les outils dont vous avez besoin pour accomplir le travail de votre vie. En tant que channel, vous appartenez à une communauté plus vaste, celle des êtres qui existent sur des plans supérieurs de réalité. L'harmonie de vos sentiments et de vos pensées contribue grandement à notre oeuvre commune. Quand vous êtes bouleversé, nous le sentons. Nous travaillerons avec vous pour vous aider à calmer les turbulences de votre existence, à vivre dans une paix et une aisance plus grandes.

La vie peut être facile — tout peut se produire dans la joie.

Votre constance à être ouvert, réceptif, confiant en vous-même, à entreprendre de nouvelles expériences dans le monde et à mettre en oeuvre cette opportunité de progresser, voilà tout ce qui est nécessaire. Bien des choses vous attendent, car l'ouverture pour transmettre est le commencement d'un nouveau monde. Quand vous serez prêt, les gens viendront vous demander votre assistance dans leur progression. Votre intégrité et votre sens de la responsabilité sont de la plus extrême importance. Présentez-vous de manière adéquate au monde, soyez humble, sachez reconnaître la lumière chez les autres et parler d'eux en bien. Vous êtes les leaders, les enseignants et les guérisseurs du nouvel âge. Du fait que vous avez pu faire venir plus de lumière, vous exercerez sur les autres une attraction magnétique. Vous avez franchi un seuil en réalisant cette ouverture. Il vous sera encore plus facile de produire des changements dans le monde. Vos choix deviendront plus clairs. Petit à petit, vous serez en mesure de voir au devant de vous les probabilités contenues dans le futur et de choisir consciemment le chemin que vous voulez suivre. Soyez déterminé à mettre au-dessus de tout votre progression sur ce chemin et respectez ce grand engagement de vous-même. Détachez-vous de toute obligation vis-à-vis du chemin que suivent les autres, à moins que votre propre chemin ne soit lié au leur.

Vous travaillerez en accord avec les forces d'évolution et nagerez avec le courant plutôt que contre lui. Prenez l'engagement de faire de votre vie une oeuvre. Permettez que vienne à vous ce qui est le mieux pour vous. Vous pouvez accomplir tout le chemin jusqu'à la plus haute conscience en une seule existence.

Maintenant plus que dans le passé, il est possible d'atteindre à cette conscience la plus haute en une seule existence. Il y a beaucoup de joie et de rires dans nos royaumes, ne vous prenez donc pas trop au sérieux. Jouez avec l'univers et laissez l'univers jouer avec vous. Permettre à votre guide d'entrer n'est que le commencement d'un merveilleux voyage plein du mystère de la découverte, de la joie d'apprendre et du bien-être que procure le fait de vivre dans la lumière.

SANAYA ET DUANE   Nous vous recommandons de marquer une pause, de vous donner un peu de temps pour intégrer ces expériences nouvelles. Ensuite, si vous le désirez, vous pourrez passer à la pratique du chapitre 8, « Transmettre pour les autres », ou bien lire le récit des expériences de Sanaya et Duane, et également de l'ouverture d'autres personnes, dans les chapitres 10 à 13. Si vous souhaitez en savoir plus sur les façons de se perfectionner en tant que channel, passez directement au chapitre 14.

8   TRANSMETTRE POUR LES AUTRES

Donner consultation à une autre personne

ORIN ET DA-BEN   *Au cours de votre progression sur la voie du channeling, vous rencontrerez très probablement l'opportunité de transmettre pour d'autres personnes. C'est une occasion toute particulière qui s'offre aux gens de pouvoir rencontrer votre guide. Vous apprécierez votre transmission au plus haut point si vous transmettez pour les personnes qui le désirent sincèrement, qui sont réceptives et enclines à vous soutenir, et qui en tireront un bénéfice. Soyez sélectif. Ne vous croyez pas obligé de donner consultation à quiconque vous le demande. La connexion que vous avez avec votre guide est un don de grande valeur. Ne l'offrez qu'à ceux qui sauront vraiment apprécier l'énergie et le temps que vous et votre guide donnerez. Transmettre pour ceux qui sont réceptifs et qui vous soutiennent vous stimulera. Transmettre pour ceux qui sont poussés par une curiosité futile et n'ont pas de respect, peut vous amener à vous sentir vidé et augmenter vos doutes sur la valeur de votre travail. Vous n'avez pas à donner de consultation à ceux qui vous mettent en procès et vous défient de prouver que votre transmission est réelle. Il y a des quantités de gens qui sont prêts à apprendre et à tirer profit de la rencontre avec votre guide. Nous vous suggérons de ne transmettre que pour ceux-là.*

On enseigne souvent le mieux
ce qu'on vient juste d'apprendre.

Débarrassez-vous de toute idée préconçue sur la manière dont votre guide répondra aux questions des gens. Son conseil peut être quelque chose à quoi vous n'avez jamais pensé, comme ce peut être une conclusion à laquelle vous êtes déjà parvenu. L'univers a de surprenantes manières de nous donner des leçons. C'est parfois juste au moment où vous venez d'apprendre quelque chose que vient, pour consulter votre guide, quelqu'un qui est confronté au même problème que vous ou à un problème que vous venez de résoudre. En transmettant l'avis éclairé de votre guide à l'intention des autres, vous pourrez trouver pour vous-même plus de clarté, sur des points qui concernent votre propre vie.

Quand vous transmettez,
la vérité a un air d'évidence.

Même si le conseil donné vous semble une évidence, dites-le, car les évidences sont souvent ce que l'on a le plus besoin d'entendre. Parfois, ce qui est riche de sens pour les autres peut n'avoir pour vous ni valeur ni signification, quand vous transmettez le message. Il ne vous est pas nécessaire de comprendre chaque chose au moment où elle vient. Votre guide a une vision plus large de la vie des gens et ne leur dit que ce qui est approprié. Ne vous souciez pas de ce que les réponses devraient être et ne les anticipez pas. Si vous ne trouvez aucun moyen de traduire un message en des paroles d'élévation et d'amour, usez de votre sens commun et ne dites pas le message. Quand c'est le cas, c'est très probablement que vous captez une distorsion de la transmission plutôt que le message lui-même.

Sachez qu'à aucune question il n'y a de réponse vraie

ou fausse. Si vous posez la même question à plusieurs guides, vous pouvez obtenir autant de réponses différentes. Chacune d'elle aura sa valeur. Chaque guide vous donnera une perspective différente ou une autre façon de comprendre le problème. Il existe quantité de façons de résoudre les problèmes, quantité de façons d'envisager une situation.

Votre responsabilité n'est pas de faire que les gens accomplissent le travail de leur vie, ni de résoudre tous leurs problèmes. Lorsque les gens viennent à vous avec leurs problèmes, rappelez-vous qu'à moins d'être prêts à évoluer, quoi que votre guide leur dise, ils n'évolueront pas. Eux seuls peuvent changer leur propre vie. Evaluez la qualité de votre transmission, selon votre jugement intérieur, en fonction du processus global dans lequel vous voyez que les gens sont impliqués, et non pas seulement en fonction des résultats qu'ils vous rapporteront. Il se peut que certaines personnes ne fassent pas usage des conseils de votre guide et, en conséquence, n'en perçoivent pas la véritable valeur. Tout ce dont vous disposez est votre désir de venir en aide aux autres. Lorsque des personnes viennent vous voir avec des problèmes qui les submergent, vous voulez les aider à trouver des moyens de les résoudre. Mais certaines d'entre elles ne sont pas prêtes pour les solutions et, pour cette raison, votre guide peut se limiter à les conduire vers la prochaine étape, plutôt que leur donner des réponses complètes.

Les guides n'éviteront pas aux gens les leçons
qu'ils ont à apprendre,
mais ils les aideront à les comprendre.

Il peut très bien ne pas y avoir de réponses à toutes les questions que posent les gens. Si quelqu'un vous pose une question et que vous n'y trouvez aucune réponse quand vous connectez votre guide, dites-lui simplement que rien ne vous parvient sur ce point. Quand bien même votre *guide dispose de la réponse, il se peut qu'il préfère que votre auditeur la trouve de lui-même. Les guides ont la sagesse de ne pas priver les gens de la chance d'apprendre par eux-mêmes.*

Les guides ne violeront pas l'intimité d'une personne. Ils peuvent révéler des détails que les gens trouveront précieux de connaître, qui les aideront dans leur progression. Mais ils ne révéleront rien qui viole en quoi que ce soit leur domaine privé. Si quelqu'un demande à votre guide de lui dire ce qu'une tierce personne ressent ou pense à son égard, vous pouvez recevoir ou ne pas recevoir de réponse de votre guide. Cela ne tiendra pas forcément à votre aptitude à capter les messages, mais aussi au fait que votre guide juge inapproprié de révéler l'information.

Certaines personnes, plus que d'autres, favorisent une réception aisée des messages. Si des gens viennent vous voir par curiosité futile ou sans intention sérieuse d'utiliser les informations de votre guide pour progresser, il se peut que vous trouviez quelque peu superficielle l'interprétation de votre guide. Les guides donnent des avis plus profonds à ceux qui sont disposés à les honorer et en faire usage. Vous pourrez aussi remarquer que votre guide s'exprime au niveau où se trouvent les gens. Si leur intérêt pour leur démarche spirituelle est tout récent, votre guide utilisera peut-être des termes très simples et leur expliquera des principes de base. S'ils sont très avancés, vous pourrez trouver que les enseignements de votre guides sont d'une nature très complexe.

Attitude à l'égard des questions des gens

ORIN ET DA-BEN   *Vous remarquerez que, souvent, les questions des gens ne sont pas aussi élevées qu'elles pourraient l'être. Peut-être viennent-ils vers vous avec l'idée que votre guide va résoudre tous leurs problèmes, et ne demandent-ils rien d'autre que de s'entendre dire ce qu'ils doivent faire, ou si quelque chose va arriver ou non. Les guides de haut niveau encouragent l'indépendance. Ils souhaitent que les gens se servent de leurs conseils pour renforcer leur propre gouverne, plutôt que de suivre ce qui leur est dit sans aucune réflexion. Vous pouvez trouver des entraves à votre réceptivité face aux questions qui appellent des réponses par oui ou par non. Voyez si vous pouvez modifier ou reformuler ces questions. Si quelqu'un demande à votre guide s'il doit vendre sa voiture maintenant ou attendre qu'une meilleure offre se présente, vous pouvez tourner la question de cette façon : «Que gagnerais-je à vendre ma voiture maintenant et que gagnerais-je à attendre?» Une légère modification de la question peut susciter une réponse bien plus élevée de la part de votre guide. Aidez les gens à poser de bonnes questions.*

SANAYA   Une manière d'inciter les gens à poser de meilleures questions est de préparer une liste-type des sujets auxquels votre guide s'intéresse le plus. Orin m'assista pour rédiger une page détaillant le genre de sujets sur lesquels les gens pouvaient obtenir des messages en le consultant. Il y avait par exemple : la recherche des préjugés cachés et des programmes acquis dans l'enfance; quelles leçons, quelles opportunités de croissance peut-on rencontrer dans ses relations; quels talents innés, quels dons peut-on développer; quelle est l'aptitude du consultant à transmettre; les vies antérieures et comment elles affectent la vie présente; le but supérieur de l'existence du consultant; l'itinéraire de son âme depuis sa première incarnation terrestre; la recherche des domaines dans lesquels progresser; l'examen des attitudes, des convictions et des décisions concernant les finances et la carrière professionnelle. Les gens qui venaient en consultation n'avaient souvent pas pensé à ces questions; mais voyant qu'il était possible de les poser, ils le faisaient. Cela leur permettait d'interroger Orin sur les points les plus profonds, les plus centraux de leurs vies. Il en résultait que les consultations leur amenaient des prises de conscience et des transformations plus importantes.

Orin demandait que les gens viennent avec des questions qu'ils avaient préparées, et la plupart d'entre eux se rendaient compte que cette préparation, et le fait de réfléchir sur eux-mêmes, déclenchait des ouvertures sur leur propre sagesse. Orin peut certes aider les gens sur des points de détails pratiques de leur vie quotidienne, mais il peut tout autant leur parler du but de leur vie, du voyage de leur âme et des moyens de poursuivre leur évolution spirituelle. Orin et Da-Ben préfèrent tous deux donner certaines informations aux gens avant que ces derniers ne leur posent des questions, puis dialoguer avec eux pendant la seconde moitié de l'entretien. Cherchez quelle est la préférence de votre guide. Certains guides préfèrent dialoguer, d'autres pas.

Quand les gens viennent à vous pour une consultation, ajoutez à celles qu'ils vous posent d'autres questions plus profondes. Même s'ils ne questionnent pas sur ces sujets, faites parler votre guide du but de leur vie et de leurs opportunités de croissance dans cette existence. S'ils interrogent sur telle ou telle de leur relation, aidez-les à se concentrer sur ses aspects les plus essentiels. Une femme demanda à Orin si son ami lui était fidèle. Plutôt que de lui répondre dans le sens de sa question, Orin lui demanda pourquoi elle fréquentait quelqu'un en qui elle n'avait pas confiance. Il lui parla des schémas psychologiques inscrits dans sa petite enfance, de ce qui était en jeu dans cette relation et des leçons qu'elles pouvait tirer de cette situation. Il lui montra de quelle manière elle pouvait changer ses schémas. A aucun moment il ne précisa si son ami était fidèle ou non. Riche de ces considérations, elle se mit à examiner ses schémas habituels de relation avec les hommes et décida de faire certains changements. Une année plus tard, elle avait mis fin à son ancienne relation, pour se marier avec un homme aimant, en qui elle avait une confiance totale.

ORIN ET DA-BEN   Si les gens viennent vous demander « dois-je faire ceci ou dois-je faire cela ? », il se peut que les guides ne prennent pas position du tout. En revanche, ils peuvent amener les gens à examiner les aboutissements possibles et donc leur permettre de faire le choix par eux-mêmes. Par exemple, si quelqu'un demande s'il devrait aller à la plage ou à la montagne, le guide pourra commencer par lui parler de ce qu'il trouvera à l'un et l'autre endroit. A la plage il y a du soleil, on peut y faire du surf, il y a beaucoup de monde sur la route. A la montagne, il fera chaud, les routes seront encore mouillées, il y aura peu de circulation. Le guide pourra ainsi amener la personne à découvrir ce qu'elle cherche. Elle peut se rendre compte si ce qu'elle souhaite, c'est de réfléchir au calme, de communier avec la nature, ou si elle préfère être au milieu d'autres gens et savourer les plaisirs du surf. Par cet angle de vue et ces indications, la plupart des gens trouvent avec certitude ce qu'ils désirent et quelle direction suivre. Ils y gagnent de plus une connaissance qui les aiderera dans leurs choix futurs. La plupart des guides leur montreront ce qu'ils peuvent espérer et ainsi les laisseront libres de décider du chemin à prendre.

Les guides de haut niveau aident les gens à découvrir un éventail de choix plus large.

Certaines personnes demandent si elles doivent quitter leur emploi pour un autre ou pour un travail indépendant. Les guides les aideront probablement à voir plus clairement ce que chacune des alternatives implique en termes de mode de vie, de capacités, d'argent, etc., pour qu'elles puissent ainsi disposer de plus de données dans l'examen de leur choix, plutôt qu'ils ne leur diront quel choix faire. Les guides peuvent leur parler d'autres possibilités, leur donner encore d'autres options. Au cas où les personnes ont trop de possibilités de choix et sont incapables de prendre une décision, les guides les aideront à concentrer leur vision de façon à pouvoir se dégager de cette indécision. Si quelqu'un demande : « Quel métier devrais-je faire ? », les guides ne donneront sans doute pas une réponse spécifique. Ils diront rarement : « Vous devriez être directeur d'une entreprise de recherche en informatique. » Les guides aideront la personne à explorer quels talents, quelles techniques elle pourrait souhaiter utiliser, quel environnement elle souhaite, quels horaires, quel niveau de responsabilités et ainsi de suite. A partir de là, la personne pourra se consacrer à un travail qu'elle aimera, qui satisfera ses besoins et lui permettra de progresser.

Les guides peuvent indiquer aux gens la bonne direction, leur donner de larges aperçus sur ce qu'ils pourraient faire et qui pourrait leur apporter de la joie, mais pratiquement jamais ils ne diront : « Faites ceci ou cela. » Souvent, en tout cas, nous vous montrerons les étapes à franchir pour découvrir par vous-même ce que vous avez à faire. Nous vous en laissons découvrir la forme. Nous sommes là pour vous conduire vers une connexion plus solide avec votre âme. Nous vous aiderons à faire plus de lumière sur la situation et à trouver plus de pouvoir en vous-même, mais avec le souci que vous découvriez vous-même votre propre vérité et votre voie, et la situation particulière qui vous conviendra le mieux.

Beaucoup de personnes demandent : « Qu'ai-je à faire

ici ? Quel est le but de ma vie ? » Ce sont là des questions qui ont des développements très importants. Il y a de nombreuses raisons pour que les gens soient là. Ils peuvent être là pour apprendre à aimer de façon plus inconditionnelle, en vertu de quoi ils se mettent eux-mêmes dans un environnement très hostile qui les met au défi de devenir plus aimants. Ils peuvent avoir à apprendre à définir et établir leur limites, et pour cette raison être constamment attirés par des gens puissants qui leur semblent les dominer. Il y a des centaines de raisons pour lesquelles une personne vient à exister et votre guide vous permettra probablement d'en distinguer quelques-unes. N'attendez pas que votre guide vous donne LA raison de l'existence présente d'une personne. Votre crainte de ne pas parvenir à transmettre la bonne raison, ou que celle que vous saisissez soit erronée, peut interrompre la connexion avec votre guide. Faites confiance à votre guide pour savoir ce que les gens sont prêts à entendre au sujet des raisons et du but de leur existence.

Comment rendre vos consultations plus positives

ORIN ET DA-BEN   *Il arrive que celui qui transmet puisse sentir les gens résister aux avis donnés par son guide. Si vous rencontrez une telle résistance, c'est peut-être que vous ne traduisez pas le message de votre guide de façon appropriée. Depuis les royaumes supérieurs, toute idée s'exprime avec tant d'amour et de tact qu'on ne peut pratiquement pas y opposer de résistance. C'est de cette manière qu'enseignent les maîtres. Votre défi est de transmettre le message de votre guide avec le même degré d'amour, de tact et de sagesse que lui (ou elle). Plus vous* *êtes clair, plus élevées et positives sont vos propres pensées, et plus vos consultations croîtront en amour et en aptitude à transformer les gens.*

Les guides de haut niveau parlent avec amour et compassion.

En lâchant prise sur vos manières habituelles de vous exprimer, qui contiennent des présomptions et des implications cachées, vous pouvez accroître la justesse de votre transmission et le caractère positif de vos consultations. Vous pourrez essayer d'accorder plus d'attention à la façon dont votre guide s'exprime, à sa manière aimante d'expliquer les choses. Cela vous permettra de vous prendre en flagrant déli quand votre mode d'expression habituel fera obstacle à l'amour plein de tact de votre guide. Vous pouvez dire aux gens par habitude : « Ne soyez pas si négatif. » Votre guide leur dira plutôt : « Soyez positif », soulignant ce qu'il convient d'atteindre et non ce qu'il convient d'éviter.

Mettez tout votre art au service d'un affinement de votre transmission par des mots et des pensées positifs. En transmettant à l'intention des autres, surveillez vos propos. Si votre guide voit un blocage ou quelque chose qui vous apparaît de manière négative, il le présentera sous un jour positif, aimant. De cette façon, travailler sur les blocages devient une expérience profitable, orientée vers le progrès, pour la personne qui reçoit le message. Si une personne traverse une période difficile, votre guide peut exprimer de la compassion sur ce qu'elle est en train de vivre, puis l'aider pour examiner quel bien peut sortir de cette situation et quel progrès elle peut obtenir en y étant confrontée. Ensemble ils peuvent faire ressortir les qualités d'âme qui cherchent à se développer, telles que confiance, patience, amour.

Si les guides voient un blocage ou quelque chose qui vous retient, ils le présentent d'une manière qui permette de faire un pas positif et encourageant. Il est rare que nous disions : « Cela va être difficile » ou « Vous vous y prenez mal », mais bien plutôt nous vous faisons toucher du doigt tout ce que vous faites de bien et vous amenons à vous rendre compte avec quelle facilité toute chose peut être faite. Les guides savent être doux et ne vous parler que de ce qui vous permettra d'apprendre et de grandir. Ils peuvent aussi ne pas mâcher leurs mots si cela est nécessaire pour attirer votre attention.

Nous parlons aux gens des points sur lesquels ils sont prêts à travailler et nous ne leur en disons qu'autant qu'ils sont prêts à en entendre. S'ils ne sont pas prêts à se confronter à certains aboutissements, il se peut que nous n'en parlions pas du tout. Nous souhaitons accélérer leur progression jusqu'à la prochaine étape et les aider au long de leur chemin. Bien que nous puissions voir beaucoup d'étapes probables au-delà de celle-ci, nous risquerions de ne produire que confusion et résistance en donnant un conseil trop éloigné des possibilités actuelles de compréhension et d'action.

Lorsque vous sortez de transe, plutôt que de revenir sans cesse sur ce que vous avez dit en vous inquiétant de savoir si c'était bien, examinez simplement si vous auriez pu traduire le message de manière plus précise ou plus aimante. Ceux qui vous consultent viennent apprendre comment progresser selon leurs possibilités, quelles qu'elles soient. De la consultation avec votre guide, les gens tireront ce qui est approprié pour eux à ce moment de leur vie. Rappelez-vous que vous continuez constamment à vous ouvrir et à avancer, et que les personnes qui sont attirées par votre art de transmettre sont en parfaite correspondance avec votre niveau actuel d'aptitude.

En tant que channel,
vous devenez une source d'amour
et d'orientation pour les autres.

Si vous vous sentez jugé par les autres à cause du message de votre guide, n'en faites pas une affaire personnelle. C'est un défi et une opportunité pour vous que de rester ouvert même face au jugement et à la négativité. Vous n'êtes pas en procès. Si vous vous trouvez en situation de transmettre pour des gens négatifs, offrez-leur lumière et amour. Restez centré, gardez votre puissance. Leurs doutes ou leurs peurs n'ont pas besoin de produire la peur et le doute en vous. Prenez conscience que leurs réactions sont autant de manières de solliciter plus d'amour. Souvent ils ne demandent qu'à vous croire et cherchent à vous mettre au défi de leur donner des preuves. Le doute qu'ils expriment n'est en réalité que leur propre dialogue intérieur avec le doute. Rayonnez d'amour vers eux et laissez-les avoir des doutes sans vous sentir pour autant obligé de vous défendre.

SANAYA   Lorsque Orin entre, c'est toute ma vision de la réalité qui change. Je sens un amour et une attention incroyables pour les autres. Quand je regarde les gens par les yeux d'Orin, ils sont merveilleux. Pour lui, chaque personne semble un être unique, beau, parfait. En chacune il voit quelqu'un qui travaille aussi dur et progresse aussi vite qu'il peut. A travers les yeux d'Orin, tout devient positif. Un de ses rôles est de resituer les choses. A chaque fois qu'il arrive quelque chose de difficile ou de douloureux à quelqu'un, il lui montre pourquoi cela arrive pour son bien. Quoiqu'il puisse se montrer touché par les difficultés ou les mauvaises périodes que traversent les gens, il leur présentera invariablement leur vie dans une perspective plus large. Il leur montrera ce qu'ils sont en train d'apprendre et leur expliquera ce qu'ils gagneront en pouvoir et en évolution à passer par ces expériences. Après quoi les gens se sentent beaucoup mieux vis-à-vis de ce qu'ils endurent. Ils ont des outils pour évoluer plus rapidement à travers ces expériences difficiles. Orin me procure continuellement l'assurance que l'univers est sûr, amical et concerné par notre plus grand bien.

Développer votre style de consultation

ORIN ET DA-BEN   *Chaque guide est différent. Chaque guide a des préférences et des choses qu'il fait bien. Si votre guide ne veut pas faire certaines choses ou ne semble pas en mesure de les faire, c'est peut-être parce que vous n'êtes pas prêt à vous ouvrir à ce niveau de capacité, ou parce que votre guide vous mène dans une autre direction. Ne remettez pas en question votre transmission parce que certaines choses ne vous sont pas possibles. Ainsi que la plupart des transmetteurs l'ont découvert, leurs aptitudes continuent à se révéler et à se développer à mesure que se renforce leur connexion avec leur guide.*

En transmettant pour les autres,
vous serez capable d'agir sur
l'énergie de leur force de vie à sa base.

ORIN   *Votre guide voudra peut-être établir une certaine structure pour vos consultations. Par l'enseignement d'autres personnes en même temps que sous mon instruction, Sanaya a étudié les chakras. J'ai utilisé ce support pendant un certain temps, puis j'ai commencé avec elle l'étude du cycle global d'incarnations terrestres des personnes, la globalité de la structure et des centres d'intérêt de leur âme, et pourquoi ils avaient choisi ces existences particulières. Ses talents se développèrent sur plusieurs années de travail avec moi. Il lui fallut édifier des lignes de force électromagnétiques plus solides et manier* diverses gammes de vibrations dans son corps tandis que je lui faisais explorer ces domaines.

Duane a appris de nombreuses techniques classiques de travail sur le corps et étudié de nombreux systèmes de pensée. Il se servait de ces repères pour faire son travail sur les énergies jusqu'à ce que de nouveaux commencent à émerger, venant d'au-delà des précédents. Quand Duane commença à voir des « structures de densité » autour du corps, il se rendit compte que c'étaient les champs d'énergie physique, le corps émotionnel et le corps mental qu'il voyait. Lorsqu'ils sont harmonisés entre eux, la lumière spirituelle devient perceptible. Il commença à « voir » à l'intérieur des muscles et de la structure physique, à « savoir » quel point toucher et comment faire pour mettre fin à certaines douleurs, dissoudre des traumatismes de vies antérieures ou de la vie actuelle, et restructurer les corps énergétiques (physique, émotionnel et mental) selon leur structure spirituelle la plus haute. Il commença à voir dans le corps des personnes et dans leurs champs d'énergie les liens télépathiques qu'elles avaient avec les autres, et se rendit compte qu'il pouvait les en libérer, produisant des changements presque instantanés dans la vie de ces personnes. En partant d'une structure de base grâce à laquelle il pouvait apprendre et opérer, il évolua, finissant par la laisser derrière lui pour aboutir à des méthodes propres à lui et à Da-Ben. Plusieurs personnes, étudiant le travail sur le corps et étant également des transmetteurs, ont pu, par leur travail avec Duane et Da-Ben et leur propre guide, voir les mêmes structures d'énergie et obtenir beaucoup de résultats similaires. Cette nouvelle base de travail lui a procuré, à lui et aux autres, des méthodes plus élaborées pour venir en aide aux gens.

SANAYA ET DUANE Ces lignes directrices et suggestions pour donner des consultations aux autres sont basées sur notre expérience, sur les manières propres à Orin et à Da-

Ben de donner des consultations. Nous vous donnons ces idées et ces aperçus pour vous aider à vous familiariser avec l'optique des guides. Il n'est pas nécessaire que vous les suiviez à la lettre pour donner de bonnes consultations. Ces aperçus sur la façon dont les guides abordent les questions ont pour but de vous aider à commencer, et non pas de limiter la façon particulière à votre guide d'y répondre. Expérimentez et, avant toute chose, ayez confiance en votre guide.

Méthode donnée par Orin et Da-Ben
Se mettre en harmonie avec une autre personne

But : transmettre pour une autre personne.

Préparation : ne transmettez pour les autres qu'après avoir établi la connexion verbale avec votre guide. Cherchez des amis ouverts, qui vous encouragent, et apprécieront d'avoir une consultation et de rencontrer votre guide. Tenez prêt votre magnétophone, muni d'une cassette vierge. Vous pouvez, à votre guise, mettre une musique particulière. Choisissez une position confortable. Au début, vous trouverez sûrement plus facile de vous mettre bien en face de la personne pour qui vous transmettez. Asseyez-vous sur une chaise ou sur le sol, à votre choix.

Etapes :
1. Commencez à respirer profondément, d'une façon qui détende votre corps. Selon votre choix, vous pouvez vous imaginer entouré de lumière blanche, demander qu'intervienne la plus haute assistance possible, ou demander que

le plus de lumière possible soit amenée entre vous deux.

2. Fermez les yeux, entrez en transe et appelez votre guide en vous. Prenez tout le temps qu'il vous faut. Ressentez la compassion que votre guide a pour votre consultant. Lorsque vous êtes prêt, il se peut que votre guide souhaite saluer le consultant. Laissez s'exprimer la personnalité de votre guide, par tout changement dans la voix, manière ou geste particuliers. Votre guide peut adopter un mode de salutation habituel. Orin dit : « Tous mes voeux ! » ; Da-Ben dit : « Bienvenue ! » La plupart de guides ont leur façon de signifier leur présence.

3. Laissez votre guide demander au consultant de lui poser une de ses questions. Surtout dans les premières étapes de l'apprentissage de la transmission, il est préférable de commencer avec des questions du genre : « Qu'ai-je à apprendre de telle personne ou de telle situation ? » ou « Comment puis-je progresser spirituellement et amener plus de lumière dans ma vie ? » Les guides n'hésitent pas à demander aux gens des questions plus élaborées ou des renseignements complémentaires. Si cela ne vous procure aucune gêne, laissez votre guide dialoguer avec les gens, car cela peut aussi aider la personne qui questionne à clarifier le point sur lequel elle souhaite savoir quelque chose.

4. Laissez les réponses de votre guide passer comme un courant. Ne vous attendez pas à ce que chacune des informations que vous recevez soit stupéfiante et extraordinaire. Quand vous vous tenez en cette lumière supérieure, les informations les plus utiles et souvent les plus profondes semblent évidentes. Celui qui vient pour écouter votre transmission a été conduit à vous précisément pour entendre ce que vous avez à dire. Laissez à votre guide le choix du point à accentuer et de ce qu'il convient de dire à cette personne. Le message peut n'avoir aucune signification pour vous. Soyez sûr que votre guide saura parfaitement la chose à dire, puisqu'il ou elle a une perspective plus vaste sur la vie de cette personne.

5. Passez à la question suivante. Certains transmetteurs trouvent que leur guide préfère que la personne pose toutes les questions au début de la séance. D'autres guides préfèrent avoir des dialogues. Quelle que soit la manière, choisissez celle qui vous convient le mieux, à vous et à votre guide. L'état de transe peut varier selon la personne avec qui vous cherchez à vous harmoniser et le type d'information demandée. Il se peut même que vous trouviez des changements subtils dans votre transe à chaque fois que vous transmettrez pour la même personne. Vous découvrirez peut-être qu'il est bien plus facile de transmettre à l'intention de certaines personnes que d'autres.

6. Vous pourrez souhaiter ne transmettre au début que pour une courte durée et passer petit à petit à des séances plus longues. Si vous sentez de la fatigue, si vous sentez la connexion s'afflaiblir ou que vous avez répondu à autant de questions que vous le souhaitiez, mettez fin à la séance. Beaucoup de guides ont une formule habituelle de clôture. Vous pourrez en cherchez une avec votre guide. Orin dirait : « Mes vœux vous accompagnent pour une excellente journée »; et Da-Ben : « Nous serons heureux de vous accueillir à nouveau dans ces royaumes. »

9   PREDICTIONS ET PROBABILITES

L'attitude des guides à l'égard des prédictions

ORIN ET DA-BEN   *Peut-être croyez-vous que si vous transmettez réellement, vous pourrez prédire le futur. Beaucoup
de guides ne font aucune prédiction. Le futur est seulement
probable, car ce qui arrive est considérablement influencé
par vos pensées, vos croyances et vos processus inconscients. A chaque fois que vous abandonnez une conviction,
que vous changez d'objectif ou que vous adoptez de
nouveaux espoirs, vous changez automatiquement votre
futur. Nous préférons vous aider à préparer un futur
meilleur plutôt que de vous indiquer des probabilités.*

*Lorsque les gens sollicitent des prédictions, nous
considérons qu'ils nous demandent de les aider à créer un
futur meilleur. Quand une personne nous demande de
prédire si telle chose va marcher ou pas, c'est généralement qu'elle craint un échec. Si quelqu'un nous
demande : « Vais-je gagner de l'argent ? », au lieu de lui
dire oui ou non, beaucoup de guides conduiraient cette
personne à comprendre ce qu'elle pourrait faire pour
gagner de l'argent. En orientant les gens vers une
perspective supérieure sur eux-mêmes et sur leur potentiel,
nous leur prêtons concours pour mener à bonne fin bien
plus encore qu'ils ne croyaient pouvoir obtenir. Nous
pouvons aider les personnes à devenir conscientes de*

leurs propres certitudes et à abandonner de vieux schémas et croyances, de façon à ce qu'elles soient libres d'obtenir ce qu'elles veulent.

> *Vous pouvez créer tout ce que vous voulez. Le futur n'est pas déterminé à l'avance.*

Quand les gens nous demandent : « Vais-je obtenir le travail que je recherche ? », la question implique qu'ils sont sans pouvoir, qu'ils n'ont qu'à s'asseoir et attendre que quelque chose arrive. Souvent les questions des gens concernant le futur dénotent un manque de foi en leur capacité d'agir sur leur vie. Notre rôle de guide est de les aider à voir ce qu'ils peuvent faire pour amener le résultat qu'ils veulent. S'il s'agit de l'obtention d'un travail, nous pouvons leur suggérer de visualiser ce travail comme s'ils l'avaient déjà. Nous pouvons les inciter à établir un lien cordial avec les gens chargés de la sélection pour ce poste. Ou bien nous pouvons leur conseiller de laisser faire en étant sûr que ce qui arrivera sera la meilleure des choses, et souligner le fait que s'ils n'obtiennent pas tel poste particulier, c'est parce qu'un emploi encore meilleur les attend.

Lorsqu'une femme, au début d'une liaison avec un homme, vient nous demander : « Vais-je me marier avec cet homme ? » ou « Cette relation va-t-elle durer ? », nous sommes en mesure de voir tout à fait clairement la solide probabilité qui existe dans un sens ou dans l'autre. Quoi qu'il en soit, nous nous rendons compte qu'à ce stade de sa relation, il serait préjudiciable d'en révéler l'avenir probable. Ce serait la priver d'une occasion d'apprendre par l'expérience. Si nous l'avisons que cette relation ne sera probablement pas durable, il se peut qu'elle érige une résistance à cette affirmation et prolonge la relation au-delà de son terme naturellement échu. Ou aussi cela peut en précipiter la fin. Là encore elle aura été privée d'une opportunité d'apprendre quelque chose. Nous sommes très vigilants à ne pas donner de conseils qui interfèrent avec la croissance des personnes. Nous désirons les aider à évoluer plus facilement et rapidement à travers ce qu'elles ont à apprendre. Dans le cas présent, nous parlerions à cette femme des leçons qu'elle est en train d'apprendre et des schémas relationnels sur lesquels elle est en train d'agir, puis nous l'aiderions à découvrir le but le plus élevé de cette relation. Nous ne lui parlerions pas de l'avenir de cette relation, particulièrement si ce qu'elle a à apprendre est la confiance en son propre jugement ou en l'amour de quelqu'un pour elle. Nous pourrions lui faire saisir les qualités d'âme qu'elle est en train de développer, en l'occurence l'amour pour elle-même et la confiance.

Si elle a peur de ne pas pouvoir garder cette relation, nous pouvons l'aider à comprendre comment elle pourrait y arriver et que faire pour que ce soit possible. Nous pouvons lui montrer comment enrichir sa liaison et tirer le meilleur de ce dont elle dispose. A elle alors de décider si cette relation vaut le prix de cet effort. Quelquefois ce prix peut signifier compromettre son idéal ou vivre une vie bien triste. Nous l'aiderions à envisager ses choix beaucoup plus clairement pour qu'elle puisse décider par elle-même quelle voie est la bonne pour elle.

Les guides de haut niveau sont très prudents quand il s'agit de parler aux gens de ce qui va arriver. Si les gens veulent des prédictions, ne vous croyez pas obligé de leur en donner. Les choses ne sont pas prédéterminées à se produire de telle façon plutôt que de telle autre.

SANAYA   Quand j'ai commencé à transmettre Orin, il ne faisait pas la moindre prédiction. J'en étais très déçue car j'étais convaincue que tous les guides font des prédictions. Orin me répétait qu'il était un guide spirituel et non un diseur de bonne aventure, et qu'il y a un abîme de différence entre les deux. Tout en m'assurant qu'il pouvait voir ce que les gens étaient en train de provoquer, il ne voulait pas que les consultations ne servent qu'à leur parler du futur ou de ce qu'ils devaient faire. Il arrivait qu'il leur parle de leurs progrès futurs. Il leur disait que leurs coeurs s'ouvriraient ou que leur apprentissage à venir serait centré sur la communication ou les relations, mais seulement quand cela pouvait leur servir dans le moment présent.

Après plusieurs années de transmission, Orin me dit qu'il souhaitait m'instruire des réalités probables du futur. Pendant une période de plusieurs mois, il me fit diverses prédictions qui s'avérèrent justes. Plusieurs fois il me donna les titres exacts des journaux avec leurs dates, et ceci avec plusieurs mois d'anticipation. Toutes ces prédictions concernaient des événements collectifs. Pour chacun de ces événements, il me signalait qu'ils étaient déjà déclenchés, envisagés ou planifiés par ceux qui en avaient la charge, et qu'il ne faisait rien d'autre qu'une déduction en examinant les mentalités collectives et les conséquences probables.

Il me disait qu'il est facile de prévoir les événements à grande échelle du fait que les lignes de force en sont établies dans la conscience collective bien des mois à l'avance. Leur densité psychique, l'accord tacite des masses à leur égard et le nombre de gens qui sont impliqués rendent très difficile d'empêcher ou de modifier de tels événements. Si une personne peut aisément changer d'optique et en conséquence transformer son futur, un événement qui concerne un grand nombre de personnes ne peut en général pas être modifié quand une seule personne change d'optique. Ce phénomène rend aisée la prédiction des événements sociaux majeurs. Orin ajouta aussi que les gens sont en contact par leurs rêves et que les événements collectifs pourraient être changés s'il y avait un consensus suffisant pour agir en ce sens. Après avoir insisté sur ce point, il cessa de me donner ce genre d'informations. Si cela est approprié, Orin examinera les probabilités à venir, mais seulement si ce peut être un outil pour mon évolution spirituelle ou celle de la personne à qui il s'adresse.

Comment les guides considèrent le futur

ORIN ET DA-BEN　*Le futur n'est pas une donnée. C'est le monde du libre arbitre. Si vous voulez examiner le futur pour les autres, demandez à votre guide s'il est permis de parler de ces probabilités futures. Avant de le faire, examinez intimement s'il est juste de le faire. Il est important de procéder à une vérification envers vous-même en ce domaine. Si cela ne vous semble pas parfait, si vous sentez une lutte pour obtenir l'information ou si vous ne recevez rien, ne parlez pas d'éventualité particulière. Il est parfaitement admissible de ne pas répondre à une question. Dites simplement : « Je ne reçois aucune information de mon guide sur ce point. » Si les opportunités d'apprendre sont balayées par des prédictions, les gens doivent repasser par d'autres situations similaires pour apprendre précisément les mêmes choses. Certaines personnes se mettent et se remettent sans cesse dans les mêmes situations dans le but de s'enseigner à elles-mêmes quelque leçon majeure. Vous connaissez des gens qui passent d'une relation à l'autre en pensant que lorsque la bonne personne finira par apparaître, alors tout ira bien. Ce n'est qu'après un gros effort qu'ils découvrent enfin qu'ils ont besoin d'opérer des changements en eux au lieu de chercher à l'extérieur.*

ORIN　*Au moment où je commençais à transmettre mes orientations par le canal de Sanaya, elle voyait souvent si une relation entre deux personnes deviendrait de plus en* plus riche ou si elle serait sans lendemain. J'étais en mesure de lui signaler par une impression si tout allait bien pour qu'elle en parle. Si ce n'était pas opportun de le dire et au cas où elle n'aurait pas été à même de percevoir mon signal, j'aurais fait disparaître le message pour qu'elle ne puisse le voir ni révéler le futur le plus probable de façon inappropriée. Ainsi aurait-elle « oublié » la perception et se serait-elle trouvée en train de transmettre autre chose à la place.

Changez-vous vous-même et vous changerez votre futur.

ORIN ET DA-BEN *Dans le système de réalité des guides, tout temps est simultanéité. Nous sommes en dehors de votre temps linéaire et de vos constructions spatiales. Nous voyons dans sa totalité le travail que nous faisons avec vous, tandis que vous n'en voyez que les étapes l'une après l'autre. Nous ne sommes pas en train de dire que cela est déterminé à l'avance. A chaque fois que vous faites un pas, que vous prenez une décision, nous sommes en mesure d'en faire la projection dans toutes les directions du futur et de le voir comme un acte complet en lui-même, d'en explorer toutes les répercussions probables. A cause de cette perspective globale, il nous est possible de vous aider à considérer les conséquences de vos choix et à trouver le chemin qui vous est approprié.*

Nous pouvons considérer le futur que vous êtes en train de construire selon deux optiques différentes. La première implique que vous êtes engagé à agir de manière créative, la seconde implique les pas que vous devez faire pour y arriver. Il est très difficile de prédire des dates. Il est bien plus facile de prédire si quelque chose aura lieu ou non. Si vous avez un très solide désir pour quelque chose, si vous êtes résolu à faire ce qu'il faut pour cela, alors cela viendra tôt ou tard, à moins que vous ne changiez d'idée vis-à-vis de ce désir. Nous pouvons voir le degré de votre résolution, les pas que vous faites pour atteindre votre objectif, la clarté de votre désir et bien d'autres facteurs; nous sommes donc tout à fait en mesure de projeter ces facteurs pour savoir si vous obtiendrez un résultat. Ce que vous faites et ce que vous ne faites pas peut accélérer ou retarder votre progression. Obtenir un résultat implique de faire un certain nombre de pas. Si, à un moment ou un autre, vous tardez à faire l'un de ces pas, cela retardera le moment de toucher au but. Nous pouvons voir ce qu'il vous est possible d'atteindre, mais du fait que vous pouvez varier dans vos actes, il est difficile de dire à quel moment précis votre objectif sera accompli.

Le futur à long terme est bien plus variable et difficile à prédire du fait que le nombre des possibilités s'accroît à mesure que l'on s'éloigne dans le futur. Entre maintenant et ce moment-là, le nombre de chemins que vous pouvez prendre augmente. Chaque décision que vous prenez modifie l'issue finale. Souvent, nous ne faisons qu'évaluer les probabilités, tout comme le font vos météorologues. Nous pouvons dire qu'il y a quatre-vingt pour cent de chances pour que vous obteniez l'augmentation que vous espérez, en nous basant sur votre détermination, votre désir et l'état de votre relation avec votre directeur. Nous pouvons aussi voir dix pour cent de chances que vous quittiez votre emploi, en prenant en compte que vous avez eu quelques pensées qui allaient dans ce sens, et enfin dix pour cent de chances que vous n'obteniez pas l'augmentation, du fait d'un autre facteur. Vous pouvez réactiver à n'importe quel moment les dix pour cent de probabilités et quitter votre emploi, aussi les prédictions ne se basent-elles que sur la probabilité que quelque chose arrive. Vous agissez selon votre libre arbitre pour amener ce que vous voulez d'instant en instant. Parfois l'élan d'une personne vers un certain futur est si fort qu'il faudrait un puissant contre-mouvement pour en changer le cours. Mais cela est néanmoins possible. Vous pouvez transformer le futur. Même une possibilité d'un sur cent peut toujours se réaliser.

A mesure qu'on s'éloigne dans le futur, on a affaire à l'essence des choses, plus qu'aux formes. Supposons que vous désiriez faire un travail qui vous satisfasse entièrement. L'idée d'un travail pleinement gratifiant relève de l'essence des choses. La forme qu'il revêtira, le titre et la description de la fonction, sont beaucoup plus difficiles à définir à l'avance. Nous pouvons beaucoup plus justement prévoir l'essence de ce que vous obtiendrez, celle par exemple de ce travail gratifiant que vous cherchez, que vous dire sous quelle forme il se révélera.

Le futur est déterminé
par votre intention que quelque chose arrive.

Supposons que vous nous demandiez : « Vais-je rencontrer l'âme-soeur, mon futur mari, ma future femme ? »; beaucoup de guides pourraient vous dire avec une belle précision si quelqu'un va venir à votre rencontre dans le proche avenir. Nous pouvons voir si cela est votre réelle intention, et nous pouvons en général situer l'âme et l'énergie de l'homme ou de la femme qui vient vers vous. Mais vous pouvez tout à coup passer par une phase de croissance extraordinaire. Vos habitudes, vos goûts peuvent s'en trouver changés, et donc aussi votre vibration. Si vous agissez dans le sens de cette transformation, vous devenez capable de vous harmoniser avec une personne différente. Vous pouvez alors attirer une autre personne que celle qui avant cela venait vers vous, ou vivre une expérience toute différente.

La plupart des personnes que vous allez rencontrer commencent par entrer en contact avec vous sur le plan des énergies, avant que vous ne les rencontriez effectivement et, de ce fait, si telle ou telle personne est déjà entrée dans votre champ d'énergie, il nous est facile de vous dire avec exactitude dans quel délai vous allez la rencontrer, dans la mesure où il est approprié de vous révéler cette information. La rencontre aura lieu généra-

*lement dans les semaines qui suivent l'entrée de la per-
sonne dans votre champ d'énergie. Les gens en sont souvent alertés d'eux-mêmes. Ils disent : « Je crois que je vais
faire une rencontre inhabituelle dans peu de temps. Je le
sens. »*

*Il peut se faire que cela prenne plusieurs années avant
que vous ne rencontriez la personne avec qui vous aurez
une longue relation, et que nous voyions venir une autre
personne avec qui vous aurez une relation plus courte. Si
nous vous disions que cette dernière n'est pas votre âme-
soeur, cela pourrait interrompre votre progression. Il est
plus judicieux de vous aider à voir ce que vous avez à y
gagner et en quoi vous pouvez faire preuve de plus
d'amour, que de vous dire si cette relation va durer pour
toujours, ou si cette prochaine rencontre est ou non votre
âme-soeur.*

*Les guides voient vos pensées et vos émotions et, à
partir de là, peuvent dire quels événements probables vous
attirez. Il vous arrive parfois d'expérimenter des situations
que vous n'avez pas voulues, que vous n'avez pas choi-
sies, à l'élaboration desquelles vous êtes certain de n'avoir
eu aucune part. Mais réfléchissez. Votre monde est fait de
causes et d'effets. Si constamment vous vous considérez
comme sans pouvoir, comme une victime, alors vous serez
une victime. Si fréquemment vous pensez à la chance que
vous avez, alors « la fortune vous sourira ». Vous attirez les
événements qui confirmeront vos convictions. Nous pouvons voir l'énergie, les pensées et les émotions qui font de
vous ce que vous êtes. De là, nous pouvons dire quelles
sont les situations que vous avez le plus de chances de
produire. Encore une fois, il n'y a là rien de déterminé.
Vous pouvez changer votre façon de vous voir comme une
victime, décider que vous allez prendre votre vie en main
ou affronter ouvertement telle situation. Le cours de votre
avenir s'en trouverait changé.*

*A toute question posée concernant des prédictions, il
est possible de répondre dans un sens spirituel. Si les gens*

*vous demandent s'ils réussiront dans ce qu'ils entrepren-
nent, plutôt qu'une prédiction de ce qui va arriver, votre
guide est en mesure de leur donner les repères pour que
leur entreprise soit couronnée de succès. Quand on vous
demande : « Vais-je me marier; vais-je rester marié ? »,
plutôt que de dire oui ou non, votre guide est susceptible
d'aider la personne à voir ce qu'elle peut faire pour attirer
la relation pleine d'amour qu'elle souhaite. Toute question à
propos du futur peut être reçue comme une demande de
conseil pour faire que ce futur arrive. Lorsque votre guide a
tourné ces questions en autant d'opportunités pour aider
les gens à être la source du futur qu'ils espèrent, il les a
aidés à prendre plus de pouvoir. Avec lui, ou elle, vous
avez accru votre capacité d'aider les autres à transformer
leur vie.*

Méthode donnée par Orin et Da-Ben
Examen de futurs probables
pour soi-même

But : voyager dans le futur pour en rapporter l'orientation
pour le présent.

Préparation : ne pratiquez cet exercice qu'après avoir
établi la connexion verbale avec votre guide. Tenez prêt
votre magnétophone. Asseyez-vous dans une position
confortable et détendez-vous. Choisissez jusqu'où dans le
futur vous voulez regarder; le mieux est entre six mois et un
an.

Etapes :
1. Entrez en transe et en connexion avec votre guide.
Imaginez un symbole représentant le futur que vous
désirez le plus, le chemin vers la plus grande lumière pour

l'année à venir. « Lancez » ce symbole dans le futur et imaginez qu'il se mette à vous renvoyer les données vous permettant de parvenir à la situation qu'il représente. Mettez votre magnétophone en marche.

2. Imaginez que nous en sommes à présent à une semaine plus tard qu'aujourd'hui. Laissez votre guide amener la lumière pour amplifier votre capacité à regarder dans le futur. Regardez mentalement le calendrier et cochez la date correspondante. Laissez venir tous les sentiments et pensées qui apparaissent. Quels problèmes vous préoccupent ? Quelles sont les nouvelles choses que vous faites ou que vous envisagez ? Laissez ces images venir pendant quelque temps et enregistrez-les au magnétophone. Maintenant, dissolvez-les.

3. Imaginez que nous en sommes à un mois d'aujourd'hui. A nouveau, regardez mentalement le calendrier et marquez la date. Laissez venir à votre conscience les impressions, les images, les pensées qui sont associées à cette date. Que faites-vous, que pensez-vous, qu'entreprenez-vous ? Observez la différence entre ce que vous êtes dans le présent et ce que vous seriez dans ce futur le plus souhaitable. Peut-être remarquez-vous qu'il y a plus de lumière autour de vous pendant que vous transférez l'énergie du moi futur au moi actuel. Enregistrez vos impressions. A présent, dissolvez ces images.

4. Imaginez-vous à trois mois d'aujourd'hui. Marquez la date sur le calendrier. Observez ce que vous pensez faire et ce que vous éprouvez à cette date.

5. Répétez l'opération en regardant à six mois d'aujourd'hui. Puis, allez à neuf mois, un an ou plus, selon le stade futur que vous avez choisi d'examiner. Imaginez que de là vous regardez en arrière ce que vous êtes aujourd'hui et que votre être futur, assisté par la perception de votre guide, donne des instructions à votre être actuel. Regardez tous les aboutissants dans votre vie et donnez-vous conseil à vous-même selon cette perspective plus élevée, plus sage et plus lucide.

6. A la lumière des impressions et images qui viennent de ces points du futur, vous pouvez si vous le souhaitez poser des questions directes à votre guide. Voici quelques suggestions :

    a.   Quels choix puis-je faire, quelles décisions puis-je prendre dans l'étape actuelle de ma vie pour me mettre sur la voie de la plus haute élévation possible ?

    b.   Quels sont les actes, les pensées, les comportements les plus appropriés pour poursuivre, demain, la semaine prochaine, le mois prochain, ce chemin de lumière ?

7. Lorsque vous avez terminé, remerciez votre guide et sortez de transe.

Evaluation : beaucoup de gens ont trouvé cette méthode très puissante. Vous pouvez la pratiquer régulièrement et vous découvrirez probablement que le regard que vous portez sur votre vie prend une dimension beaucoup plus vaste, qui ressemble à la perspective de votre guide. Réécoutez de temps en temps vos enregistrements ou relisez les notes que vous en avez transcrites; vous aurez beaucoup de contentement à voir les résultats et les progrès.

Transmettre pour soi-même

SANAYA ET DUANE   Certains trouvent facile de se donner une consultation à eux-mêmes, d'autres trouvent cela difficile. Il est quelquefois plus facile de débuter par des questions qui n'ont pour vous que peu ou pas de charge émotionnelle, car les enjeux émotionnels qui leur sont liés peuvent entraver votre confiance dans les réponses qui vous sont faites. Les questions que vous trouverez dans la méthode qui suit « Se donner consultation à soi-même », ont été conçues par Orin et Da-Ben pour vous aider à apprendre comment obtenir orientation pour vous-même.

SANAYA   Il me fallut plusieurs années de transmission avant de pouvoir consulter pour moi-même. A mes yeux cela demande un très haut niveau de calme et de détachement de soi. Si j'avais de fortes réactions émotionnelles aux réponses qui m'étaient faites, cela rompait la connexion. Cela me prit également quelques années de pratique pour obtenir des détails spécifiques sur ma vie. Il était au début beaucoup plus aisé pour Orin de me livrer des orientations générales. Quand je commençais à transmettre sur des points de détails, je me trouvais tellement impliquée que j'en perdais le contact. Il me fallut quelques années avant d'être suffisamment détachée des réponses pour pouvoir maintenir une connexion ferme et claire.

Méthode donnée par Orin et Da-Ben
Se donner consultation à soi-même

But : obtenir des réponses à vos questions sur vous-même.

Préparation : ne pratiquer cet exercice qu'après avoir établi la connexion verbale avec votre guide. Tenez prêts tous vos outils d'enregistrement.

   Vous pouvez préparer à l'avance les questions à poser à votre guide. Vous pouvez par exemple noter les conclusions auxquelles vous aboutissez concernant ces points pour les comparer à ce que votre guide aura à vous en dire. Certains notent leurs questions tout au long de la semaine, de sorte qu'au moment de s'installer pour transmettre, ils disposent de bonnes questions, bien mûries.

Etapes :

1. Entrez en transe et en connexion avec votre guide. Enclenchez votre magnétophone.

2. Posez vos questions et enregistrez les réponses. Laissez s'exprimer les messages, même s'ils vous semblent évidents ou inattendus.

Voici des questions que vous pourriez poser à votre guide :

a.   Quelle est la chose particulière la plus importante, qui représente mon but le plus élevé, sur laquelle je puisse me concentrer pendant les six prochains mois ? Quelle est ensuite la seconde chose la plus importante ?

b.   Considérez une situation actuelle de votre vie. Demandez à votre guide : « Que suis-je en train d'apprendre à travers cette situation ? Comment cela sert-il mon évolution spirituelle ? »

c.   Comment puis-je devenir un meilleur channel ? Qu'est-ce que je peux faire sur le plan physique, émotionnel, mental et spirituel pour rendre plus intense la connexion avec vous et avec mon âme ?

3. Quand vous le jugez bon, remerciez votre guide et sortez complètement de transe.

Evaluation : si vous avez quelque difficulté à recevoir des réponses aux questions qui vous concernent personnellement, continuez à vous exercer. Vos émotions ou vos idées préconçues à l'égard de la situation sont peut-être très puissantes, ce qui peut rendre difficile pour votre guide de passer à travers cette intensité émotionnelle. De plus, au cas où vous avez déjà réfléchi à ces questions que vous posez à votre guide, des doutes peuvent surgir de savoir qui s'exprime, de votre guide ou de vous. Bien des gens jugent plus difficile de transmettre pour eux-mêmes que pour quelqu'un d'autre; à l'inverse, certains trouvent cela très facile, et plus compliqué de donner consultation à une autre personne. Il s'agit d'une expérience individuelle; soyez patient et expérimentez.

TROISIEME PARTIE
RECITS D'OUVERTURES
AU CHANNELING

10 NOS EXPERIENCES DU CHANNELING

Première manifestation d'Orin

SANAYA On me demande souvent comment j'ai rencontré Orin pour la première fois et si je savais d'avance que je deviendrais un channel. Je n'avais jamais réellement pensé à transmettre, avant de consulter une femme, Betty Bethards, qui me dit que je pourrais devenir un channel aux environs de ma vingt-cinquième année et que la transmission pourrait être la tâche de ma vie. A l'époque de cette consultation, j'avais dix-huit ans, j'allais au collège, et la possibilité de devenir un channel me semblait une vision merveilleuse, mais vraiment très lointaine. J'y pensai pendant quelque temps, puis cela s'estompa, comme d'autres rêves.

Je terminai mes études, puis fus prise dans les préoccupations matérielles : je dus faire ma vie. Je travaillai dans un bureau durant plusieurs années, après quoi je me lançai dans une petite entreprise individuelle de conseil en marketing. Le monde des affaires me plaisait, mais c'était comme s'il y manquait toujours quelque chose. C'est à cette époque que Jane Roberts publia plusieurs livres transmis par son guide, Seth, dont la lecture me plut beaucoup. Avec plusieurs amis, nous avons commencé à nous réunir pour parler de ces livres et nous nous sommes procuré une planche de Oui-ja pour entrer en contact avec nos propres guides. Nous avons obtenu des messages immédiatement et nous avons demandé le guide le plus élevé que nous puissions rencontrer. Nous souhaitions un guide semblable à Seth.

C'est ainsi que je rencontrai pour la première fois Orin en 1977. Orin vint par l'intermédiaire de la planche de Oui-ja, nous annonçant qu'il était un maître d'enseignement et que nous pourrions en obtenir plus de lui à mesure que je progresserais dans mon habileté à le capter. Il était clair que c'était à travers moi que nous parvenaient les messages; un ami devint donc mon assistant, pendant qu'un autre prenait des notes. Nous avons continué à prendre conseil auprès d'Orin une fois par semaine et obtenu aussi beaucoup de renseignements d'un autre guide, Dan, qui se manifestait plus souvent. Beaucoup d'amis nous rejoignirent au cours de ces séances et nous avons recueilli plus de deux cents pages de notes.

Vers la fin de cette année-là, j'eus un accident de voiture. Un véhicule déboîta juste devant mon Buggy VW, m'obligeant à actionner brutalement les freins, qui alors se bloquèrent. Pendant que mon auto faisait des tonneaux sur l'autoroute, il me sembla que le temps se ralentissait complètement et que des portes s'ouvraient sur d'autres dimensions. C'était comme si je pouvais voir dans le futur et savoir que tout irait très bien. Quand je sortis de mon étourdissement et repris pied, je sus que quelque chose s'était déclenché en moi. Le soir même je mis la planche de Oui-ja au rancart et commençai à transmettre directement par la voix.

Je me souviens de mon hésitation initiale à transmettre par la parole. J'avais peur que rien ne vienne ou que les messages soient dénués de la moindre signification. Beaucoup d'amis étaient là, assis, attendant impatiemment que je commence. Je fermai les yeux et me mis à l'écoute de la même manière que j'étais «en écoute» des messages venant par la planche de Oui-ja. Les premiers messages que je reçus étaient comme une bande magnétique qui passerait trop vite. Les idées fusaient à travers mon champ

d'attention avant que je ne puisse les dire. Je demandai
que les mots viennent plus lentement. Mais ils vinrent alors
si lentement que mon esprit vagabondait, au risque de
perdre la connexion. Pourtant je pus amener des messages cohérents et riches de sens, et la soirée fut une
réussite exaltante.

Les choses continuèrent ainsi pendant quelques semaines, avant que la vitesse du flot d'informations et mon
aptitude à le capter ne s'ajustent. Les images mentales
étaient si vives et riches que j'avais l'impression que les
mots n'étaient qu'une ombre de l'essence de ce que je
percevais. Mon aisance à transmettre les messages dépendait de mon énergie, de la force d'affirmation et de
conviction que j'étais capable de donner à ce que je
transmettais. En focalisant sur un ou deux mots que je
captais au départ, et en m'imaginant qu'ils me parvenaient
par la planche de Oui-ja, j'étais capable de réussir la
transition vers la transmission verbale. Une fois captés les
premiers mots, le reste du message coulait de lui-même. Je
l'exprimais de ma propre voix, malgré la crainte de risquer
de paraître bizarre aux yeux de mes amis. Je voulais
réprimer les gestes et les intonations que je pouvais
imputer à Dan, celui qui s'exprimait à travers moi. Dan
expliqua qu'il était là comme intermédiaire pour abaisser
l'énergie d'Orin jusqu'à ce que je sois apte à recevoir
directement sa vibration supérieure. Selon Orin, mon corps
était comparable à un câble électrique ne pouvant supporter qu'une intensité de vingt volts, alors que la sienne était
supérieure à cinquante volts.

J'appris que si je relâchais mon attention ne fût-ce
qu'un instant, je perdais le fil du message, et je devais
concentrer à nouveau mon attention pour le retrouver.
Transmettre me demandait une énorme concentration.
C'était un peu comme capter une chaîne de télévision que
je n'aurais pu diffuser qu'aussi longtemps que je gardais à
l'esprit, ferme et constante, l'idée de le faire. Au bout d'un
certain temps, j'étais capable de suivre mes propres pen-

sées parallèlement à celles de Dan. Je pouvais lui poser mentalement des questions sans interrompre les explications qu'il donnait à quelqu'un, et je pouvais même percevoir les réponses qu'il me donnait tout en continuant à transmettre son message à l'intention de quelqu'un d'autre.

S'adressant encore à moi par l'intermédiaire de la planche de Oui-ja, Orin me fit beaucoup de suggestions pour augmenter ma vibration de façon à rendre possible que je le reçoive. La première fois que j'essayai de laisser Orin passer, je faillis m'évanouir. C'était comme si je me dilatais de la tête aux pieds, devenant comme une éponge, plus grande que la pièce, mais néanmoins toujours maintenue dans un champ d'énergie. Je ressentis une très forte pression dans ma poitrine, une sensation de puissance et d'amour. Ma perception de la lumière et des couleurs se transforma. J'arrêtai d'essayer de transmettre Orin par la voix, pour suivre les suggestions qu'il me fit pour ma mise en forme; je pris l'habitude de courir dans la forêt, dans les collines derrière chez moi.

Ma percée s'opéra le jour où j'achetai un magnétophone neuf et m'installai pour enregistrer. J'entrai dans une transe très profonde et fis un enregistrement. En écoutant la bande que je venais d'enregister, je me rendis compte que je venais pour la première fois de transmettre Orin par la parole. L'enregistrement consistait en une méditation guidée, pour mon usage, afin d'améliorer ma connexion avec lui, et de devenir un meilleur channel. Orin m'enseigna quantité de choses sur la transmission. Il me conseilla de pratiquer avec un métronome réglé à la vitesse des battements du coeur, puis de pratiquer à des vitesses différentes. Il me fit travailler ma respiration, pratiquer des exercices de concentration focalisée et bien d'autres choses encore. C'est à cette époque que Dan me quitta, disant que sa tâche était accomplie et qu'Orin prenait désormais la relève.

Je passai les trois années suivantes à donner des consultations et à poursuivre des échanges de vues avec une grande variété de personnes. Rétrospectivement, je vois que c'était une période de pratique, de pratique et encore de pratique. Mon habileté à transmettre clairement les messages, à les refléter de façon adéquate, s'accrut. Les messages étaient instructifs et judicieux, ils aidaient les gens à faire des changements dans leur vie, à l'améliorer. J'avais encore un métier à plein temps, mais la moindre minute disponible était consacrée à la poursuite du travail engagé avec Orin. Etre avec Orin et transmettre était si gratifiant que je préférais cela à n'importe quoi. Je découvrais en Orin un être plein de sagesse et d'amour. Il avait une façon de regarder le monde nettement différente de la mienne. Ce qui prenait pour moi de plus en plus d'importance, c'était ma croissance spirituelle et de pouvoir atteindre la Conscience Christique. Orin devint mon maître et mon guide dans ces domaines de conscience supérieure, m'aidant à m'éveiller à ma propre sagesse, à avoir des sentiments plus riches d'amour et à être plus en paix. Il me donna beaucoup de méditations guidées pour m'aider à effectuer mon évolution spirituelle.

Je rencontrai Duane en 1982, quand il vint vers Orin et vers moi pour une consultation. Duane avait entendu parler d'Orin par un ami commun et souhaitait obtenir quelques conseils concernant sa vie. Depuis plusieurs années, sa carrière s'était orientée sur la géologie et la géophysique, domaines dans lesquels il détenait des diplômes. Il voyageait dans le monde entier comme consultant sur des projets de construction de barrages dans les régions à risque sismique et travaillait pour une grande compagnie de recherche pétrolière. Le soir, en outre, il enseignait et pratiquait la guérison selon des techniques de travail sur le corps qu'il avait développées. Il était incertain quant au choix à faire entre poursuivre sa carrière, démarrer sa propre entreprise de consultant, se consacrer à plein temps à l'enseignement et à la recherche sur le travail corporel, ou encore explorer différentes parties du monde, pour faire des recherches et écrire sur les hauts-lieux telluriques (des sites où s'exerce une très puissante énergie).

Orin incita Duane à suivre ses propres messages intérieurs et à essayer de nouvelles choses. L'objet de la consultation concernait le but de sa vie, que choisir et comment choisir parmi les nombreuses opportunités qui s'offraient à lui. Après la consultation, je dis à Duane que j'avais du mal à rester assise, parce que je m'étais froissé des muscles du dos en voulant suivre un nouveau programme d'exercices assez rigoureux. Duane procéda alors de telle façon que toute la douleur disparut en quelques minutes. Je ne pouvais pas croire qu'il avait obtenu aussi rapidement un tel résultat. En fait, je ne croyais pas que cela pourrait disparaître du tout. Je m'étais faite à l'idée que les douleurs musculaires sont inévitables quand on pratique des exercices physiques.

Ce fut le début d'un voyage exaltant à la découverte de l'énergie, dans le corps, le mental et l'esprit, avec Duane comme professeur. Duane et moi partagions un intérêt commun pour beaucoup de sujets et nous aimions nous entraîner l'un l'autre vers de nouveaux domaines de découverte. Nous avons travaillé ensemble au cours des années suivantes, en alternant nos rôles d'enseignant et d'étudiant. A son contact, je perdis bientôt toutes mes idées préconçues sur ce qui était possible dans le domaine de la guérison, et particulièrement i'idée que guérir prenait beaucoup de temps. Il me montra que cela pouvait se passer avec une rapidité miraculeuse. Duane m'apporta son assistance pour ajuster mon corps à la fréquence énergétique supérieure qui me traversait quand je transmettais.

Avec Orin, je donnais les cours qui allaient devenir le livre « Choisir la joie » et c'est alors que lui et Da-Ben nous suggérèrent d'enseigner la transmission. J'avais, pour finir, laissé mes autres emplois pour consacrer tout mon temps à travailler avec Orin. Orin encouragea Duane à développer ses facultés de clairvoyance et l'aida à comprendre les changements qui s'opéraient dans son travail sur le corps.

Très important !

La venue de Da-Ben

DUANE   Ma première expérience de Da-Ben se produisit au cours de séances de travail sur le corps. En travaillant sur l'énergie des gens, je me pris à faire des choses qui manifestement ne découlaient pas de ma formation ni des connaissances que j'avais acquises, et ces méthodes, ces gestes produisaient des résultats tout à fait surprenants. Des douleurs, des maux dont des gens souffraient depuis plusieurs années, s'en allaient parfois en l'espace d'une heure. Je ne pouvais tout simplement pas expliquer comment j'obtenais ces résultats. Je « savais » d'une certaine façon quand j'avais fini d'appliquer un traitement et je percevais une présence invisible qui semblait m'assister. Je ne pouvais pas continuer mon travail en passant à une autre partie du corps de la personne avant d'avoir effectué certaines passes. La présence invisible m'aidait pour savoir que faire, me « donnant » des méthodes de guérison que je n'avais jamais apprises ni utilisées.

J'étais fasciné par l'interaction de l'esprit et du corps, particulièrement après être devenu un adepte de la course à pied. Le début de ma carrière de coureur fut ponctué de douleurs aux pieds, aux chevilles, aux genoux, pendant presque deux ans. Sans trop d'espoir, j'essayais de me guérir moi-même. Je m'étais laissé dire que cela venait des os, d'un problème de structure. En m'accordant de plus en plus avec mon corps, cela devint petit à petit comme si je pouvais réellement voir au-dedans de lui. Je me rendis compte que presque tous les problèmes étaient causés par les muscles. Je pris conscience progressivement que je pouvais mettre fin à mes douleurs en utilisant mon esprit pour changer ce que je pensais au sujet de la douleur, puis en restructurant mes muscles par la manipulation physique. Je me rendis compte que je pouvais de la même manière faire disparaître les douleurs des autres. Des athlètes commencèrent à venir me voir. Au début, j'avais tendance à reproduire leurs maux dans mon propre corps. Il fallait d'abord que je me représente comment soigner cela en moi-même pour pouvoir y remédier chez les autres. Après leur départ, il me restait à guérir leurs maux, les ayant mis dans mon propre corps. Alors, je me mis à la recherche d'une façon de soigner les autres sans prendre sur moi leurs problèmes. Une des choses que j'entrepris fut d'inciter les gens à découvrir comment ils pouvaient se servir de leur esprit pour se guérir eux-mêmes pendant que je travaillais sur leur corps. Et je me mis à travailler sur leur corps.

Tandis que je travaillais à soigner les gens, je pris conscience que je sentais une énergie qui était dans et autour du corps, et cependant pas dans le corps physique lui-même. Ma perception d'une présence alentour devenait plus forte quand je travaillais, mais je rejetais toute idée de guides ou de guérison médiumnique, car cela ne cadrait pas avec ma formation scientifique. En bon scientifique, je me mis à explorer méthodiquement toutes les techniques de travail sur le corps que je trouvais — depuis les approches orientales comme l'acupuncture et les disciplines qui s'y rattachent, jusqu'aux approches occidentales comme le «travail sur les tissus profonds», la kinésithérapie, la médecine des sports, l'étude du mouvement, en passant par une pléthore d'autres disciplines et techniques de travail sur le corps.

Une amie, qui était familiarisée avec le channeling, ayant consulté de nombreux guides, m'offrit une consultation auprès d'Orin. J'avais choisi Orin parmi tous les enregistrements de diverses consultations qu'elle m'avait fait écouter, car la façon dont Orin se présentait et la teneur de son discours parvenaient à l'emporter sur mon scepticisme à l'égard des phénomènes «psychiques». C'est ainsi que je rencontrai Sanaya et Orin. La consultation me conduisit réellement à réexaminer ma manière de concevoir ma vie. Je ne crus pas Orin quand il me dit que j'abandonnerais probablement ma profession, pas plus que je ne fus convaincu que la transmission elle-même était un fait réel. Quoi qu'il en soit, je remis mon jugement à plus tard, car je n'avais toujours pas trouvé d'explication à mes récentes expériences de travail sur le corps dans les approches traditionnelles. En continuant à travailler avec Sanaya, je remarquai une modification de son énergie et de son aura quand elle transmettait. Je réalisai aussi que l'amour et la sagesse pénétrante d'Orin excédaient largement tout ce que j'avais jamais rencontré chez un être humain. Ainsi me trouvais-je face à un grand nombre de contradictions, d'un côté mes convictions, de l'autre ce qui se produisait devant mes yeux.

Une série d'expériences psychiques rendit plus intense la montée de ces contradictions face à ma structure logique. Un jour que je courais dans les collines, je me mis à voir toutes les choses commes des structures mouvantes. Les arbres ne ressemblaient plus à des arbres mais à des champs de vibrations et je pouvais voir à travers eux. Je m'inquiétai immédiatement de ma santé mentale. Non seulement je ne voulus rien en dire à quiconque, mais je ne parvenais pas à admettre moi-même que de telles choses puissent se produire. A quelques jours de là, m'arrêtant à un feu rouge à hauteur d'une autre voiture, je jetai un coup d'oeil à la conductrice et, quel choc ! à la place d'une personne, je vis un cocon de lumière et des lignes d'énergie tout autour de son corps. Je fus si inquiet que je demandai à ces phénomènes de s'arrêter; ce qu'ils firent. Il fallut un moment avant que je puisse les faire réapparaître lorsque, plus tard, je voulus explorer et développer cette perception de clairvoyance.

Tandis que je continuais de travailler avec Sanaya, des personnes qui transmettaient, très sensibles à l'énergie psychique, commencèrent à venir me voir pour des soins. Je me mis à envisager les possibilités d'assister les gens pendant qu'ils transmettaient, par le toucher et le travail sur les énergies. Je découvris que je pouvais obtenir des résultats significatifs en suivant mes perceptions intérieures et en m'appuyant sur la présence invisible qui semblait se tenir autour de moi. Au cours de cette période, je pus voir de nouveau de façon très vive l'énergie dans et autour des corps. Je parvins à distinguer trois, puis quatre qualités, ou strates, d'énergie. Plus tard, en affinant mes observations, je découvris qu'elles étaient en relation étroite avec les auras physique, mentale, émotionnelle et spirituelle des personnes. Certaines personnes avaient des vortex d'énergie tourbillonnante autour d'elles. Quand je fus à même, à travers le toucher, de les « calmer » et de les amener vers des structures plus organisées, ces personnes eurent l'expérience de percées étonnantes dans leur aptitude à atteindre les domaines spirituels.

Je commençais à sentir une profonde division en moi. Mon côté scientifique allait chaque jour au travail s'occuper des études en cours et des réalités habituelles de la science et du monde des affaires. De retour chez moi, travaillant sur l'énergie des gens, je voyais des choses dont la science disait qu'elles n'existent pas, je parvenais à des résultats apparemment impossibles. Certes cet « équilibre » m'avait paru idéal pendant plusieurs années; mais le fossé entre les deux réalités ne cessait de se creuser. Je savais qu'il me fallait prendre une décision pour continuer à aller de l'avant. Mon moi scientifique m'assurait que c'en était fini de moi si je décidais de poursuivre à plein temps le travail sur l'énergie et le corps. Mon moi intuitif me disait qu'il ne supportait plus que j'exerce mon métier en niant ce qui était en train de devenir la partie la plus intéressante de ma vie : mes expériences de la réalité supraconsciente. En avril 1984, je passai une journée entière avec Sanaya et Orin, dans l'espoir de résoudre ce conflit.

Ce jour d'avril, je savais que quelque chose allait se produire. Quelques semaines auparavant, le nom de « Da-Ben » m'était venu pendant que je conduisais. J'avais entendu ce nom, Da-Ben, comme s'il avait été chuchoté à mon oreille, et j'éprouvais depuis lors un besoin urgent de comprendre ce phénomène. Je n'étais toujours pas sûr de croire à la transmission, malgré les modifications que je pouvais voir dans l'aura des personnes quand leur guide entrait. Il me devenait de plus en plus difficile de nier ce que je voyais, mais en aucun cas je ne voulais remettre ma vie entre les mains d'un guide; je tenais à la conduire par moi-même.

Ce jour-là, Orin me fit prononcer le nom de « Da-Ben » et inviter la présence à s'approcher. Je me sentis devenir brûlant et glacé en le faisant. Je me mis à voir Sanaya sous l'aspect de couleurs et de strates, et à voir à travers elle. L'entité semblait s'approcher et devenir plus réelle. Les sensations physiques étaient très fortes, mon diaphragme vibrait de façon incontrôlable et j'avais peine à reprendre mon souffle. C'était spectaculaire et je me rends compte rétrospectivement que si l'expérience n'avait pas été aussi saisissante, je n'aurais pas cru en sa réalité. A cette époque, je croyais que les choses n'étaient réelles que si elles comportaient un certain degré de difficulté; je pensais qu'elles devaient coûter physiquement pour être valables. Plus tard, je pris conscience que la venue de Da-Ben n'avait pas besoin d'être aussi mouvementée et j'entre en connexion avec lui de façon tout à fait aisée à présent.

Mon ouverture pour transmettre produisit des changements immédiats dans ma vie. Envisagé selon la perspective plus large de Da-Ben, ce qu'il me fallait faire pour accomplir le travail de ma vie devenait clair. J'avais passé de longs mois d'indécision, à être deux personnes à la fois, à me demander que faire. Je savais à présent avec une profonde certitude intérieure que j'avais besoin de suivre ma voie, où qu'elle me mène, dans le travail sur le corps, dans l'aide à porter aux autres pour leur donner les moyens de retrouver leur force, et je voulais en apprendre plus sur le channeling. Le lendemain, j'ébauchai un plan de sortie et annonçai à ma compagnie que je m'en allais.

C'était une décision majeure, car je lançais un défi à toutes mes années de formation scientifique qui avaient ignoré les phénomènes métaphysiques ou en avaient ri. La transmission et les guides ne sont vraiment pas des sujets dont on puisse discuter avec des amis scientifiques ! Je savais que, pour mon équilibre mental, j'avais besoin de trouver un certain nombre d'explications logiques, scientifiques, à la transmission, et je me mis donc à l'étudier tout comme j'avais étudié les sciences ou le travail sur le corps. L'étude du corps et des systèmes énergétiques dans la perspective de l'ouverture pour transmettre devint mon intérêt central. Je me mis également à lire tout ce que je pus trouver pour m'aider à comprendre la transmission selon un point de vue philosophique, religieux et scientifique.

De ce jour, Sanaya et moi avons commencé à transmettre ensemble. Il semblait que nos guides se connaissaient l'un l'autre. Ils souhaitaient souvent parler des mêmes sujets et l'un poursuivait là où l'autre s'était arrêté. Nous avons reçu une grande assistance, qui nous aida à prendre des décisions majeures dans nos vies entre avril et novembre 1984.

Ce ne fut pas une chose ou un événement particulier qui me convainquit de la réalité de la transmission, mais toute une série d'événements. Il y avait une grande cohérence dans ce que disait Da-Ben. Même s'il parlait d'un sujet après des mois d'interruption, il reprenait là où il s'était arrêté. Il me prévenait de ce qui allait se produire et cela se produisait. Lentement, et presque à mon corps défendant au début, je commençai à être fasciné et avide des lumières qu'il me dévoilait. Je transmettais fréquemment des enseignements sur le travail corporel et les systèmes énergétiques. Tout a continué à se passer de manière surprenante et, maintenant, une relation de sincère coopération s'est fermement établie entre Da-Ben et moi.

11 SE PREPARER A ENSEIGNER LE CHANNELING

Préparation

SANAYA   Nous voulons partager avec vous les expériences d'autres personnes dans leur ouverture pour transmettre et la manière dont leur vie s'en est trouvée changée. Votre expérience sera irremplaçablement la vôtre, cependant nous espérons que notre histoire et celle d'autres personnes vous permettront de découvrir un éventail plus large des possibilités inhérentes à la transmission. Plus que tout, transmettre a été pour nous un plaisir. En transmettant, nous avons fait ce que nous aimions faire. Cela nous a montré que chaque moment de la vie peut être riche et significatif.

Nous avons été très occupés le mois qui suivit ce jour de novembre où Orin et Da-Ben nous firent leur première suggestion d'enseigner le channeling. Tout en continuant nos soirées portes ouvertes un lundi par mois, nous avons mis au point un programme pour la période de janvier à juin, avec pour sujet les corps invisibles : les chakras, les corps astral, éthérique, causal; et le soi multidimensionnel. Nous n'étions pas très savants sur ces sujets, mais Orin et Da-Ben nous avaient dit qu'ils souhaitaient enseigner dans ce domaine, aussi étions-nous impatients à l'idée de ces cours. Au beau milieu de nos envois de cartes de Noël et de la préparation de notre emploi du temps, nous avons également fait le projet d'un voyage dans le désert du Sud de la Californie, pour visiter des hauts-lieux telluriques et poursuivre notre formation. Nous avons passé quelques semaines merveilleuses dans le désert et là, Orin et Da-Ben nous communiquèrent beaucoup d'informations sur les guides, qui ils sont, comment ils transmettent leurs messages et comment savoir si un guide est ou non de haut niveau.

S'entourer d'une bulle de lumière

SANAYA   La date du premier cours de channeling était fixée à la fin février. Dès janvier nous avions un nombre de demandes supérieur à ce que nous pensions pouvoir assumer et nous avons donc fixé une date pour une deuxième session en mars. Jean St-Martin, un excellent conseiller et channel, avec qui j'avais fait un stage au cours de l'année, nous invita à venir donner deux sessions de transmission à Dallas. Nous étions inquiets de la tournure rapide des événements, étant donné que le cours n'était pas encore au point. Orin et Da-Ben nous avaient donné la teneur de l'enseignement, mais pas encore les façons de procéder. Les gens venaient de partout, disant leur intérêt pour apprendre à transmettre. Nous nous sentions comme aspirés dans un puissant courant; le simple fait de se maintenir à flot était un défi.

Nous avons compilé toutes les informations reçues antérieurement d'Orin et de Da-Ben sur la transmission pour les rassembler en un livre destiné à être distribué aux stagiaires afin qu'il puissent se préparer à leur ouverture. Au milieu d'une période de gros orages, il y eut quelques jours chauds et ensoleillés pendant lesquels nous sommes allés dans les collines derrière la maison de Duane pour transmettre, et Orin et Da-Ben nous donnèrent les processus qui aideraient les gens à s'ouvrir.

Quelques jours avant la session, Orin et Da-Ben nous firent la suggestion d'édifier une bulle de lumière. Ils expliquèrent que ce n'était nullement pour nous protéger de quoi que ce soit, mais afin de transmuter ou de changer l'énergie en une vibration plus haute. Une personne se tenant « dans » la bulle trouverait de l'aide pour s'élever. Ils nous dirent que nous pouvions produire cette bulle en nous concentrant et en nous imaginant entourés de lumière. Ils nous firent jouer avec la taille et la densité de la bulle, la faisant petite, puis si grande qu'elle englobait la maison, et nous firent observer ce que nous éprouvions au cours de cette expérience. Ils nous demandèrent de nous servir de cette bulle de lumière pendant la prochaine soirée de lundi pour observer son effet sur les personnes présentes. Les résultats furent surprenants.

Le sujet de notre cours du lundi soir était ce mois-là le soi multidimensionnel, notre moi plus grand qui existe dans les plans supérieurs. On peut l'appeler aussi « être essentiel ». Orin et Da-Ben, à travers les exercices proposés, aidaient les participants à s'élever pour visiter le plan causal, et même plus haut encore pour découvrir leur être essentiel. Tandis qu'ils travaillaient ainsi, Duane et moi avons utilisé l'image de la bulle de lumière. Quand il nous parut que cette bulle était solide et notre énergie bien centrée, l'énergie entière de toute la salle sembla s'élever, les gens se sentirent plus aimants et reliés, et leur expérience devint plus intense. Si quelqu'un avait un gros doute ou une résistance à aller plus haut, nous sentions parfois la bulle faiblir. Chacun dans la pièce en éprouvait les effets. Quand la bulle faiblissait, les gens avaient plus de difficulté à vivre leurs expériences ou sentaient le doute en eux-mêmes. Quand nous pouvions maintenir la stabilité de la bulle, ils s'élevaient plus facilement.

Nous avions commencé à « édifier la bulle » plusieurs jours avant le cours, en énergétisant la pièce avec des images de lumière. Nous avions commencé aussi à nous relier télépathiquement avec les gens en leur envoyant amour et soutien, en créant un « espace de sécurité » par une bulle de lumière autour d'eux. Nous avions également découvert qu'inciter les gens à s'entourer de leur propre bulle de lumière amenait les mêmes effets.

Nous disposions à présent des méthodes, ainsi que d'un livre à donner aux gens, et Orin et Da-Ben dirent que nous étions prêts à enseigner le channeling. Nous attendions cette session avec impatience et, la nuit qui la précéda, nous étions, Duane et moi, très nerveux. Que se passerait-il si nos guides s'étaient montrés trop optimistes sur les aptitudes des gens à transmettre ? Nous avions hâte de voir si les gens pouvaient vraiment apprendre à entrer en connexion avec leur guide par la parole.

Histoires d'autres personnes : comment j'ai découvert le channeling

SANAYA ET DUANE   Le premier matin de chaque session, nous commencions par demander aux gens comment ils avaient été attirés par le channeling. Pour la plupart des participants, l'idée de pouvoir transmettre un guide était très excitante et représentait l'étape suivante de leur démarche spirituelle. Certains avaient l'impression d'attendre cette expérience depuis longtemps. D'autres n'avaient jamais entendu parler de channeling ni de guides avant une période récente, mais dès la minute où ils en avaient appris l'existence, ils avaient su qu'ils avaient à faire dans ce domaine. Ce thème revenait sans cesse, répété par quantité de personnes qui vinrent à ces stages pour s'ouvrir pour transmettre.

Les participants étaient des personnes ayant de fortes

motivations personnelles, confiantes en elles-mêmes, venant de nombreuses professions différentes. Il y avait des scientifiques, des médecins, des juristes, des hommes d'affaires, des techniciens, aussi bien que des guérisseurs, des artistes, des musiciens, des thérapeutes, des employés de bureau, des mères de famille. Certaines de ces personnes avaient eu connaissance du channeling depuis de nombreuses années, mais avaient mis de côté leur désir d'explorer cette voie plus profondément jusqu'à ce que leurs enfants soient grands ou qu'elles aient suffisamment de temps à y consacrer. Certaines avaient exercé des professions d'aide pendant toute leur vie, en tant que médecins, pratiquants de diverses disciplines de travail sur le corps, astrologues ou psychothérapeutes traditionnels. Ils avaient découvert l'idée de la transmission et étaient poussés à en savoir plus. Aucun n'avait projeté de devenir un channel; pour eux, c'était encore une autre étape. Beaucoup disaient ne pas être « faits » pour cela. Ils n'avaient jamais vraiment pu comprendre pourquoi certaines personnes, sur terre, sont des channels. Cependant, ils se sentaient poussés à faire quelque chose. Ils savaient qu'ils avaient une mission à accomplir ou quelque chose d'important à faire, même si certains n'avaient pas encore découvert ce que c'était. Ils sentaient que le channeling leur apporterait une partie des réponses qu'ils cherchaient.

Toutes ces personnes aspiraient à l'épanouissement et l'amélioration de soi-même. Elles avaient été conduites dans ces domaines par des lectures, des séminaires, des professeurs ou des cours. Certaines souffraient de maladies telles que des allergies ou des rhumes à répétition que la médecine conventionnelle ne pouvait guérir, et s'étaient tournées vers des médecines alternatives ou des méthodes diététiques. Elles s'étaient ainsi ouvertes à un système de croyance totalement nouveau quant au champ du possible. Beaucoup avaient trouvé le moyen de guérir en changeant la structure de leurs croyances ou en se soignant elles-mêmes par des émotions positives ou un régime, plutôt qu'avec des médicaments. Par cette recherche, des vannes s'étaient ouvertes et beaucoup de nouvelles expériences et d'idées nouvelles étaient venues, comme entraînées par un courant.

De nombreuses personnes disaient qu'elles s'étaient avisées des guides et du channeling à la lecture du livre de Shirley MacLaine « L'amour foudre », dans lequel elle parle de ses expériences du channeling. Cette lecture leur donna l'impression que la transmission était ce qu'elles cherchaient. Certaines avaient fait des rêves qui s'étaient réalisés ou qui contenaient de puissants messages. Certaines avaient entendu le murmure de voix intérieures devenir si fort qu'elles ne pouvaient plus les ignorer. D'autres avaient exploré dans leur quête de réponses les religions orientales, les séminaires et les cours du nouvel âge ou différentes disciplines comme la méditation ou le yoga. Certaines avaient lu les livres de Seth de Jane Roberts et souhaitaient pouvoir accéder elles-mêmes à une sagesse et une intelligence supérieures, mais n'avaient que tout récemment envisagé que cela fût à leur portée. Certaines avaient entendu parler du channeling et des guides par des amis et ces informations avaient fait résonner quelque chose en elles. D'autres encore avaient étudié avec des guides d'autres personnes et voulaient à présent transmettre elles-mêmes.

Beaucoup se trouvaient dans une période de transition, mettant un terme à une longue relation ou songeant à le faire, ou laissant le travail qu'elles avaient depuis de longues années pour se diriger vers de nouveaux domaines. Certaines ressentaient de grands mouvements intérieurs qu'elles ne parvenaient pas très bien à expliquer. Beaucoup remettaient en question des choses qu'elles avaient longtemps tenues pour admises. Mais surtout, encore et encore, les gens disaient être en quête de quelque chose qu'ils n'avaient pas choisi consciemment, mais qu'ils se sentaient irrépressiblement poussés à poursuivre, même s'ils ne savaient où cela les mènerait. De façon générale, il se manifestait de l'ensemble une ambiance d'exaltation et d'aventure. La plupart des résistances et des doutes des participants n'étaient pas aussi forts que leur désir d'aller de l'avant et de découvrir leur potentiel latent.

Beaucoup avaient réussi; ils avaient atteint leur but et obtenu ce qu'ils pensaient vouloir et, cependant, éprouvaient le sentiment persistant que quelque chose manquait à leur vie. La plupart d'entre eux n'avaient pu trouver les réponses qu'ils cherchaient dans les systèmes traditionnels qu'ils avaient explorés, qu'ils fussent religieux, scientifiques ou psychologiques. Ils ne souhaitaient pas nécessairement abandonner ces systèmes, mais ils sentaient le besoin de les compléter d'une manière ou d'une autre. Beaucoup étaient croyants. Il y avait aussi des psychothérapeutes traditionnels qui se trouvaient mieux à même d'aider les gens quand ils prenaient en considération la dimension spirituelle, par le concours de la méditation ou d'autres méthodes non traditionnelles, plutôt qu'en se cantonnant aux méthodes de la psychologie académique.

Un thème commun émergeait de l'ensemble de leurs histoires. A partir du moment où ils avaient décidé d'en apprendre plus sur le channeling, une coïncidence, puis une autre, intervenaient pour renforcer leur décision. Dans les jours qui suivaient, ils trouvaient sur leur chemin un livre sur ce sujet, ou bien un ami leur donnait des renseignements complémentaires, ou le nom de quelqu'un avec qui parler du channeling. Des opportunités surgissaient d'aller à tel endroit ou de faire telle chose qui amènerait des réponses. C'était comme s'ils étaient conduits par quelque force invisible. Cela intriguait la plupart d'entre eux et leur permettait de se laisser porter par leur curiosité et leur goût de l'aventure. Par-dessus tout, ils étaient attirés par la joie de pouvoir progresser et s'élever.

Après avoir écouté les histoires des participants, le matin de la session, nous leur avons donné des informations supplémentaires sur le channeling. Nous les avons guidés pour pratiquer les exercices qui nous avaient été indiqués. Orin les fit appeler leur guide en eux et les conduisit vers leur ouverture, pendant que Duane les dirigeait en travaillant à ouvrir leur énergie par le toucher.

Au cours de la journée, nous les avons amenés à se donner consultation les uns aux autres. Ils étaient capables de le faire avec une facilité encore plus grande que de transmettre sur divers sujets de sagesse universelle. Ils obtenaient une évaluation immédiate de leur transmission par la réponse des autres, ce qui semblait augmenter considérablement leur confiance en eux. Ils parvenaient à donner des informations personnelles sur des points qu'ils ne pouvaient absolument pas connaître autrement que par la transmission. Ils pouvaient juger de la valeur extra-ordinaire de leur exactitude. La journée se termina avec un groupe de channels dont chaque guide s'exprima, parlant des objectifs que poursuivaient les personnes en apprenant à transmettre. Cette journée fut suivie, à quelques jours de là, d'une soirée au cours de laquelle les gens apprirent à se donner une consultation à eux-mêmes et à regarder les possibilités du futur. Chacun revint avec le récit de son expérience et des changements survenus, et ce sont ces histoires que nous vous présentons dans les chapitres suivants.

Nous avons donné quatre stages de channeling au cours des six semaines suivantes et chaque participant a réussi à transmettre. Depuis lors, nous avons donné ce cours aussi souvent qu'il y avait des personnes intéressées, c'est-à-dire environ une fois par mois. A notre émerveillement, chacun de ceux avec qui nous avons travaillé s'est avéré capable de transmettre, et nous avons été à chaque fois ravis de leur succès.

12 ENSEIGNER LE CHANNELING

Récits de premières rencontres avec un guide

SANAYA ET DUANE   Les récits qui suivent illustrent les réponses les plus typiques que reçurent les gens lors de leur première rencontre avec leur guide dans nos séminaires. La majorité — plus de quatre-vingt pour cent — commencèrent à transmettre avec facilité. Les autres eurent des difficultés mineures. Nous faisons suivre ces récits de quelques suggestions sur ce que vous pouvez faire si vous rencontrez vous-même l'un ou l'autre de ces problèmes. Ces histoires sont présentées comme le compte-rendu d'un cours, bien que les exemples soient tirés de plusieurs des cours que nous avons donnés durant les deux dernières années. Nous vous convions à partager avec nous l'exaltation de chacun des participants dans son ouverture pour transmettre, car c'est vraiment un moment particulier, qu'il ait lieu au sein d'un groupe, avec un ami ou seul.

Tout au long de la matinée du stage, l'excitation dans la salle ne cessa de croître. Orin et Da-Ben avaient tous deux travaillé sur l'énergie pour ouvrir et préparer chacun à la connexion avec son guide. Les gens avaient déjà appris comment parvenir à l'état de transe, l'attitude et les ajustements de position favorisant le mieux la connexion. Ils s'étaient mis en résonance avec la force de vie à travers des fleurs ou des cristaux, s'étaient servi de sons, de chants divers et d'autres techniques pour ouvrir leur gorge et établir le contact avec leur centre d'énergie supérieur. Ils allaient connecter leur guide pour la première fois et l'exaltation était grande.

Une femme pleurait. Pendant toute la matinée elle s'était tordu les mains, disant qu'elle avait du mal à se relaxer et à s'élever. Nous l'avons vu se détendre de plus en plus tandis qu'elle appelait son guide. Finalement, quand il fut pleinement présent, elle éprouva un intense relâchement. Elle nous dit que son ami venait juste de rompre avec elle et que toute la semaine elle avait été prise par de lourds sentiments d'abandon, de rejet, de ne rien valoir. Elle avait douté de pouvoir joindre un guide, parce qu'elle trouvait qu'elle ne le méritait pas. Ses larmes étaient de soulagement et de joie; elle nous dit plus tard qu'elle éprouvait un sens de plénitude, d'amour et de protection venant de son guide. C'était comme si quelque chose de profond en elle avait finalement lâché, pour s'ouvrir.

Orin lui donna pour instruction de demander à son guide de l'aider à se délivrer de la peine émotionnelle qui la submergeait. Son visage devint lentement plus radieux. Bientôt, elle nous signala qu'elle se sentait comme en train de flotter. Elle devint tout à fait apaisée et son guide commença à parler à travers elle. Il se présenta et se mit à lui exposer beaucoup de choses au sujet de sa relation et de son but le plus profond, de ce qui se passait avec son ami, et pourquoi il avait eu à se séparer d'elle. Elle nous rapporta par la suite que ce fut une guérison profonde. Elle sut qu'elle avait fait l'expérience d'un guide parce que tout ce qu'elle éprouvait auparavant n'était que tristesse, colère et manque de pardon. Maintenant elle comprenait pourquoi son ami l'avait quittée et sa tristesse était en grande partie dissipée.

Plus tard, Orin lui dit qu'elle s'était préparée depuis longtemps pour la rencontre avec ce guide. Un des points les plus importants auxquels elle avait eu à se confronter avant d'apprendre à transmettre était de croire qu'elle ne comptait pas, qu'elle n'avait rien de valable à faire dans le monde. Il lui avait fallu résoudre ces points, car un guide ne pouvait effectivement pas travailler avec elle tant qu'elle n'avait pas compris qu'elle pouvait réellement faire quelque chose de valable dans le monde. Un guide de haut niveau est en effet là pour apporter quelque chose de valable dans le monde. Quelques mois plus tard, elle nous dit qu'elle se sentait beaucoup plus sûre d'elle que par le passé, qu'elle acceptait bien de ne plus être avec son ami, qu'elle mettait sa vie en ordre avant d'envisager une nouvelle relation. Une année après, elle nous annonça qu'elle avait un nouveau travail, avait déménagé dans un nouvel appartement, qu'il y avait un nouvel homme dans sa vie, qui était thérapeute, et que tous deux examinaient les possibilités de donner des cours ensemble.

Si vous vous trouvez vous-même dans une situation émotionnelle difficile pendant votre ouverture, laissez simplement aller les choses comme elles viennent. Laissez s'exprimer les larmes ou la joie que vous éprouvez. Respirez calmement et pratiquez les exercices de relaxation que vous avez appris. Quand vous vous sentez plus calme, vous pouvez établir une connexion verbale. Demandez à votre guide de vous donner des éclaircissements sur cette situation qui vous atteint émotionnellement, ou choisissez un centre d'intérêt et posez des questions à votre guide sur ce sujet.

Un homme, un vrai colosse, avec un accent du Sud et un savoureux sens de l'humour, qui n'avait eu aucune expérience préalable dans aucun domaine psychique ou métaphysique, vint au stage pour apprendre cette merveilleuse « nouvelle chose » dont il avait entendu parler. Il possédait et dirigeait plusieurs grandes compagnies immobilières et s'occupait de plusieurs affaires minières dans le monde, et il projetait de se servir du channeling pour l'aider dans ses affaires. Il voulait apprendre à transmettre parce qu'il aimait aller de l'avant, trouver des réponses, et parce qu'il était ouvert aux choses nouvelles. Il avait effectué tous les exercices préalables avec une évidente facilité; pourtant, quand il s'approcha de la rencontre avec son guide, il se trouva en difficulté. Il répétait que connecter son guide était comme d'essayer de trouver un mot qu'on a sur le bout de la langue, quelque chose de très frustrant, à la fois tout proche et hors d'atteinte.

Comme cela arrive en certains cas, il avait un puissant désir de joindre les plans supérieurs, mais n'avait pas encore trouvé le moyen de percer. Il n'avait jamais médité, rien lu sur aucun sujet métaphysique, jamais réfléchi à la façon dont il pourrait parvenir à atteindre un monde supérieur. Quand Duane travaille avec des personnes dans cette situation, il les aide à concentrer leur énergie vers le haut, parfois en harmonisant par le toucher leurs énergies mentale et émotionnelle pour augmenter leur capacité de réponse aux vibrations supérieures. Duane assista cet homme pour élever son énergie jusqu'à ce que son guide puisse entrer en communication et s'exprimer à travers lui. Pour bien des personnes s'étant trouvées dans ce cas, nous avons remarqué que tout ce qu'il suffisait de faire était de demander à leur guide d'ajuster leur respiration ou de leur envoyer une poussée d'énergie. Ou bien les guides le font, ou bien ils signalent à la personne comment faire, et le canal s'ouvre alors sans difficulté.

Quand son guide commença à parler, l'homme se mit à transpirer et à trembler; au bout d'un certain temps, quand il eut trouvé comment répondre à cette vibration supérieure, ces sensations se calmèrent. Son guide commença par lui parler de la façon dont il pourrait gérer certains détails pratiques dans ses affaires et il en fut très heureux. Bien qu'au début de la journée il ait eu quelque difficulté à entrer en transe, il nous dit, à la fin de l'après-midi, que la transe était en train de lui devenir une sensation familière. Son guide avait un formidable sens de l'humour et apporta une note d'enjouement qui gagna chacun des participants.

Une année plus tard, il nous raconta qu'il avait reçu de son guide une assistance sans borne dans tous les domaines de sa vie et que c'était comme s'il avait trouvé un ami sincère et attentionné. Il nous dit que la conduite de ses affaires en était facilitée et que transmettre lui avait donné un sens beaucoup plus grand de compassion et de compréhension des autres.

Si vous avez du mal à «atteindre» votre guide, imaginez-vous en train de vous élever. Détendez-vous, imaginez-vous que vous ouvrez l'arrière de votre tête et de votre cou à un courant d'énergie plus vaste ou que vous demandez à votre guide d'ouvrir cette zone. Pratiquez les exercices de concentration en pensant à votre guide et demandez-lui de vous envoyer de l'énergie. Demandez à votre guide de s'approcher encore et imaginez-vous en train de vous ouvrir à cette connexion, quand vous vous sentez prêt. Mettez une musique qui vous inspire et pensez à des choses pleines de beauté et d'amour. Faites comme si vous étiez en train de transmettre et concentrez-vous sur les questions auxquelles vous souhaitez des réponses. Tout cela vous aidera à étendre votre conscience, à élever votre vibration et à vous rapprocher du plan où se trouve votre guide.

Orin s'occupait d'une femme qui ne parvenait pas encore à laisser passer son guide par elle. Elle avait fait de la méditation pendant des années et craignait de ne pas être capable de parvenir à cet espace différent, qui est celui du channeling. En fait, elle réussit sans peine à trouver cet espace. Comme elle s'ouvrait à la rencontre de son guide, elle le «vit» assis sur un nuage très lointain, sans savoir comment faire pour qu'il se rapproche. Elle mettait beaucoup d'hésitation à s'exprimer, n'étant tout d'abord pas certaine de vouloir qu'il se rapproche. Le nuage semblait le dissimuler. Elle n'était pas sûre que ce guide fût amical, ni qu'il fût vraiment son guide. Orin lui dit d'imaginer qu'un rayon de soleil dissolvait le nuage et lui suggéra de parler, rien qu'un instant, avec ce guide. Elle demanda mentalement, avec timidité, au guide de lui prouver qu'il était de haut niveau et bienveillant. Elle poursuivit quelques instants un dialogue intérieur, jusqu'à ce qu'elle soit manifestement convaincue qu'il était amical. Alors elle le laissa s'approcher de plus en plus près, jusqu'à ce qu'il puisse finalement s'exprimer à travers elle. Elle manifesta un immense bonheur et une grande exaltation à la suite de cette connexion. Elle avait commencé une carrière de clown et nous raconta, quelques mois plus tard, que dans la pratique de ce métier, elle entrait en connexion et transmettait son guide, apportant son amour et son énergie aux enfants avec qui elle travaillait.

Si vous voyez votre guide distant et lointain, comme il arrive à certaines personnes, faites connaissance mentalement avec lui — ou elle — pendant un moment. Prenez votre temps; invitez-le (-la) à s'approcher seulement quand vous vous sentez prêt.

Une femme écrivain, qui voulait apprendre à transmettre pour terminer son livre, était entrée en transe profonde. Elle nous dit que tout en percevant encore les bruits dans la salle, elle était complètement consciente de son guide et déterminée à le laisser s'exprimer; pourtant, elle avait des difficultés à parler. Orin et Duane travaillèrent ensemble avec elle. Duane commença par stabiliser son énergie en agissant sur divers points de son corps pour l'aider à fixer les vagues d'énergie qu'elle recevait. Il lui aurait été possible de le faire par elle-même en relaxant mentalement son corps, ce à quoi Duane l'incita d'ailleurs. Comprenant ce qui se passait, Orin l'aida à prendre conscience que l'énergie de son guide était si puissante que, lorsqu'elle s'ouvrait, elle se sentait submergée. Les messages venaient en si grand nombre qu'elle se sentait emportée par le courant, ne pouvant saisir que des bribes de pensées éparpillées, qui apparemment semblaient insensées.

C'était par vagues qu'émettait son guide. Quand une vague arrivait, elle contenait tant d'information qu'elle était inondée et ne savait par où la prendre. Puis la vague refluait et elle sentait alors la connexion perdue. Duane et Da-Ben ouvrirent certains de ses centres d'énergie de façon qu'elle puisse manier les fréquences supérieures de son guide. Orin lui fit choisir un thème de pensée sur lequel focaliser. Avec ce point de focalisation, elle fut capable de stabiliser la transmission. Nous apprîmes qu'elle avait terminé son livre en transmettant et, l'année suivante elle avait trois autres livres en cours. En plus de ses écrits, elle donne d'excellentes consultations et a ouvert un cabinet.

La transmission vient par vagues si, à un moment, on a l'impression de tenir le message et, un moment après, on croit l'avoir perdu. Demandez à votre guide de stabiliser le courant, en l'accélérant ou en le ralentissant selon le moment. Concentrez-vous sur la partie du message que vous avez saisie et commencez à transmettre cela, même si ce n'est qu'un fragment. Si à nouveau rien ne vient, attendez simplement la vague suivante et dites le « morceau » du message comme il arrive.

Un homme, un entrepreneur, vint apprendre à transmettre parce qu'il voulait changer de métier. Il souhaitait exercer une profession d'aide; il était très concerné par son évolution spirituelle et par le fait de venir en aide aux autres. Il n'avait pas passé beaucoup de temps à méditer, mais il avait lu tout ce qu'il avait pu trouver sur les guides et sur les sujets qui s'y rattachent. Quand il connecta son guide, il fut incapable de dire un mot, de faire un geste. Duane entra en connexion avec Da-Ben pour qu'il l'assiste et Da-Ben le trouva perdu dans un monde de couleurs, d'images, de sons, de lumières. Il restait là à flotter, un peu comme dans un light-show psychédélique. Il ne percevait aucun guide, mais ressentait un extrême bien-être. Da-Ben donna instruction à son guide de s'ajuster aux systèmes énergétiques de l'homme de telle et telle façon, lui apportant son assistance en touchant divers points. L'homme se servait de son regard intérieur pour voir dans les mondes supérieurs, mais inaccoutumé à regarder dans ces plans, il était déconcerté par ce qu'il voyait.

Duane continua de l'instruire, lui disant où diriger son attention, et son guide commença à effectuer les ajustements nécessaires. Il parvint à un espace où il pouvait voir et sentir son guide comme une réalité. Finalement, il obtint une connexion directe. Sa transmission fut excellente et, depuis lors, il reçut de bons conseils pour s'orienter dans la vie. L'année suivante, il continuait de s'occuper de son entreprise à temps partiel, tout en consacrant beaucoup de temps à donner des consultations et à mettre au point des cours de développement personnel. Avec l'aide de son guide, il avait mis à nu de vieilles croyances, d'anciens schémas selon lesquels il ne méritait pas l'abondance, qui le retenaient encore par derrière. Son guide lui avait donné des exercices pour s'en débarrasser et il s'en servait. Deux ans plus tard, il avait définitivement quitté son travail; il exerce à présent dans la prospérité une profession de conseil et d'enseignement qui l'occupe à temps complet.

Si vous vous sentez pris dans un monde de couleurs, de lumières, de sensations, persévérez à demander mentalement un message verbal. Faites appel à votre volonté et à votre esprit pour ne pas vous égarer. Bien que vous n'ayez à redouter aucun dommage si vous vous perdez dans les couleurs et les impressions, cela ne peut que retarder votre transmission verbale. Focalisez sur une question à laquelle vous désirez que votre guide réponde et maintenez vos propres pensées sur cette question plutôt que sur les couleurs.

Une femme sophistiquée, de bonne éducation, vint apprendre à transmettre car elle s'était sentie guidée à le faire par toute une succession d'événements. Elle nous raconta que, deux ans auparavant, elle n'accordait aucun crédit à ce type de phénomènes, mais qu'à présent, elle était très impatiente de réaliser la connexion. Elle craignait toutefois d'être la seule qui ne parviendrait pas à contacter un guide. Quand son guide fut invité à entrer, elle nous signala qu'elle ne sentait rien du tout. Par l'intermédiaire de Da-Ben, Duane put voir que son guide était pleinement présent dans son aura. Sanaya contacta Orin, qui parla avec cette femme, et il apparut clairement qu'elle intellectualisait le processus et bloquait ainsi sa faculté de transmettre. Orin sait très bien dépister ce que les gens sont en train d'expérimenter et les diriger à travers cela ou vers autre chose. Il lui demanda de répondre à plusieurs questions en faisant comme si elle était en train de transmettre. Par cette seule suggestion, de belles et sages réponses vinrent, portée par une voix plus douce et plus indulgente que d'habitude. La femme nous disait encore qu'après chaque phrase, une partie d'elle-même lui glissait : « Ce n'est pas un guide, en réalité, c'est juste moi », ou « Tu es en train de te duper toi-même, ce que tu dis n'a aucun intérêt. » Elle s'était attendu à un changement énorme, à être soulevée de terre. Au lieu de cela, elle n'éprouvait pas la moindre sensation physique.

Orin lui fit répondre en transe à quelques questions personnelles, concernant des points sur lesquels elle était en lutte. Par l'intermédiaire de son guide, elle répondit par des explications très fines, qui, comme elle l'admit elle-même, se situaient au-delà de tout ce qu'elle avait pu concevoir jusqu'alors. Son partenaire lui posa à son tour des questions personnelles sur des gens qu'elle ne pouvait pas connaître et son guide donna des réponses très précises et pleines de discernement. A un certain moment au cours de la transmission, elle sentit qu'elle devait avoir contacté un guide, mais pourtant quand elle fut sortie de transe, elle se remit à douter. Son esprit lui barrait le chemin. Son guide était si fort qu'il ne lui communiquait qu'une très petite part de lui-même pour permettre un ajustement en douceur de ses systèmes d'énergie. Son guide dit à Orin qu'elle avait très peur et que, s'il entrait trop fortement, dans le but de l'impressionner, il y avait de grandes chances qu'elle ne veuille plus renouveler le contact. Il préférait le risque de s'écarter d'elle en étant trop doux plutôt que trop fort.

Orin lui dit de continuer à faire semblant de transmettre

et d'être attentive aux informations qui lui parvenaient. Tout au long de la journée, elle transmit à l'intention d'autres participants, leur donnant des informations sur des choses qu'il lui était impossible de connaître. Même si elle continuait à répéter qu'elle faisait seulement semblant, il devenait de plus en plus difficile pour son intellect d'expliquer de manière rationnelle toutes les consultations pertinentes qu'elle donnait. Elle nous appela quelques mois plus tard pour nous dire qu'elle éprouvait des sensations physiques quand elle transmettait et que, finalement, elle admettait même vis-à-vis d'elle-même qu'elle était réellement en contact avec un guide. L'année suivante, elle nous fit à nouveau part de doutes et nous dit qu'elle n'avait pas transmis aussi souvent qu'elle l'aurait souhaité. Malgré tout, nous dit-elle, elle avait de temps en temps fait entrer son guide pour donner des messages à d'autres personnes, qui s'avéraient étonnamment judicieux. Elle dit qu'elle continue à lutter contre ses doutes, mais reconnaît à présent que le doute est une part importante de sa manière d'être, et qu'un des axes principaux de sa vie est d'apprendre en tous domaines à avoir foi plutôt que de mettre en doute. Si vous avez des doutes et que vous vous demandez si vous transmettez réellement ou non, lisez la partie intitulée « Faites de vos doutes des alliés », dans le chapitre 14.

Une femme, artiste, qui dirigeait une affaire renommée de création de mode, vint apprendre le channeling pour stimuler sa créativité. Sa plus grande peur était de perdre le contrôle et d'être dominée par son guide. Elle était très indépendante et volontaire et aimait régler les moindre détails de sa vie. Elle était venue vers Orin pour une consultation et il lui avait dit qu'elle pourrait être un bon channel grâce à sa grande intelligence, sa détermination à toujours donner le meilleur d'elle-même et sa qualité d'attention. Orin lui avait fait remarquer que même une attitude critique ou de discrimination pouvait être un atout, particulièrement si elle mettait en oeuvre ces qualités pour

développer un haut niveau de maîtrise dans la transmission. Il lui fit toucher du doigt que son dévouement, son
désir de veiller à tout et de contrôler chaque chose, son
attention pour le moindre détail et son désir de réussir,
l'aideraient à réussir à transmettre.

Pendant le cours, elle s'efforça de tout faire « bien » et
cependant, quelque chose en elle la retenait, la peur que
son guide puisse prendre le dessus et la contrôler. Elle
avait peur de perdre son identité et d'être « engloutie » par
celle du guide. En conséquence de quoi, son guide entra
en contact avec elle avec beaucoup de douceur, de peur
de l'effrayer ou de la contrôler. Parce qu'il était si doux, elle
ne pouvait sentir grand-chose et se demanda donc s'il était
bien là. Elle était dans une impasse; par peur d'être prise
sous contrôle, elle ne voulait pas laisser son guide entrer
trop puissamment et comme il ne venait pas avec puissance, elle avait peur de ne pas transmettre réellement. Duane
et Da-Ben l'assistèrent en l'aidant à se détendre et à ajuster
ses systèmes d'énergie de manière à les ouvrir davantage.
Da-Ben, de plus, parla à son guide, l'instruisant de la façon
de l'assister pour ouvrir son énergie, ce qui aida grandement. Orin s'adressa longuement à son mental, qui bloquait la connexion.

Orin lui dit : « *Chez beaucoup de ceux qui deviennent
d'excellents transmetteurs, il y a une peur initiale de perdre
le contrôle. Avoir le contrôle peut signifier des choses
différentes pour des personnes différentes. Cela peut
vouloir dire que vous avez le sentiment intérieur que vous
êtes en train de faire du bon travail et que les choses
avancent d'une façon qui vous satisfait. En tant que
channel, vous verrez que c'est un vrai défi que de faire
s'ajuster ce que vous exprimez avec ce que votre guide
vous communique. Vous avez émis l'idée que votre esprit
entrave votre transmission. Laissez-nous vous rendre
témoignage que votre esprit est très actif, très vif, et
intelligent. Vous êtes très avisée dans l'usage des mots et
votre esprit possède la faculté de voir et d'examiner les*

images intérieures et les symboles. Grâce à tout cela, nous trouvons facile de communiquer avec vous. Nous ne voulons pas prendre le pouvoir ni réduire à l'impuissance la part de vous qui veut garder le contrôle. Bien au contraire, il est important que cette part de vous décide d'un angle de vue différent, susceptible de vous aider au lieu de vous faire obstacle. Nous aimerions que cette part en vous qui veut veiller à chaque chose examine avec beaucoup de soin si les paroles que vous prononcez sont ajustées avec l'information que vous envoie votre guide. De plus, cela nécessite une quantité beaucoup plus importante de notre énergie pour contrôler vos cordes vocales si vous êtes inconsciente et nous préférons donc que vous participiez consciemment, car cela requiert de notre part beaucoup moins d'énergie. »

Elle commença à s'ouvrir un peu plus à ce qu'elle éprouvait. Son guide continua de l'aider à relâcher les points de son corps qu'elle bloquait et qui faisaient obstacle au courant d'énergie. Elle souhaitait que se produisent un énorme bouleversement et de fortes sensations physiques comme signes certains de la présence réelle de son guide et, par ailleurs, elle était très prudente et n'aurait jamais laissé un guide entrer si elle s'était sentie sous contrôle.

Par un examen rétrospectif, elle se rendit compte qu'elle abordait beaucoup d'expériences nouvelles de la même manière, y compris le développement de son agence de création de mode. Elle prit conscience que son schéma, quoi qu'elle entreprenne, était de s'inquiéter et de lutter, quand bien même les résultats obtenus étaient formidables et couronnés de succès. Elle se mit à travailler au lâcher prise de ses doutes perpétuels, à passer sur sa déception que les sensations ne soient pas plus fortes et à lâcher sa peur qu'elles ne deviennent plus fortes. Ses transmissions étaient toujours de qualité et les messages du plus grand intérêt.

Elle nous dit, plusieurs mois après, avoir eu des

expériences de transmissions très réussies; elle éprouvait de fortes sensations physiques et elle était beaucoup plus confiante pour accepter que son guide soit réellement présent. Ses affaires décollèrent dans les mois qui suivirent. Alors qu'elle ne trouvait pas suffisamment de temps pour maintenir une connexion aussi solide qu'elle l'aurait aimé, les choses commençaient cependant à se passer de manière beaucoup plus facile, comme par magie. Elle sentait que la guidance était directement transmise à son esprit, à quelque moment qu'elle la demande, dans beaucoup de domaines qui, d'ordinaire, requièrent d'entrer en transe. L'année d'après, son entreprise était si florissante qu'elle n'arrêtait pas de voyager à travers tout le pays. Elle avait engagé des attachés commerciaux et son succès dépassait tout ce qu'elle avait pu imaginer. Elle dit qu'elle utilise le channeling dans des choses très pratiques, comme par exemple pour fixer le choix de la ligne qui se vendra le mieux, déterminer si cela vaut la peine de faire tel voyage, s'il sera ou non fructueux, et pour découvrir de nouveaux domaines à explorer. Elle dit que, pas à pas, elle renforce sa confiance en son guide, bien qu'elle tienne toujours à s'assurer qu'elle garde bien le contrôle de sa vie et qu'elle n'est pas sous sa dépendance. Quand elle reçoit un conseil de son guide, elle vérifie très soigneusement s'il est en accord avec son propre jugement intime, et n'agit que si elle sent profondément que c'est juste. Elle ajoute qu'à la réflexion, ces conseils, pratiquement toujours, se sont avérés judicieux, et que les suivre a amené les meilleurs résultats.

Une femme chaleureuse et affectueuse, qui élevait ses deux enfants, de jeunes adolescents, en leur enseignant qu'ils créaient leur propre réalité, vint pour établir le contact verbal avec son guide. Elle s'occupait d'un musée et de différentes activités culturelles, et avait beaucoup de projets. Elle avait rencontré son guide des années auparavant, en suivant un cours de développement psychique. A cette époque, il lui arrivait d'écrire des choses qui semblaient provenir d'une source au-delà d'elle-même. Elle était alors trop occupée à élever sa jeune famille pour poursuivre dans cette voie, mais elle sentait que l'heure était maintenant venue. Lorsque son guide entra, elle ressentit une puissante sensation physique, de la chaleur, puis un étourdissement. Duane intervint pour la soutenir. Il la fit respirer profondément et la dirigea pour maintenir l'ouverture afin que son guide puisse passer. En quelques minutes, elle parvint à transmettre verbalement. Ses messages étaient tout à fait bons et elle fut comblée par cette connexion verbale.

Dans les mois qui suivirent, elle se découvrit un intérêt encore non exploré pour le travail sur le corps. Elle s'inscrivit à plusieurs cours et, tout en continuant à s'impliquer dans d'autres projets, elle intensifia son activité dans les arts de la guérison. Elle se sent à présent dans une phase d'intense croissance spirituelle, par sa formation dans le travail sur le corps et en suivant des cours de croissance spirituelle. Elle apprend tout ce qu'elle peut, dans l'optique de pouvoir le donner aux autres quand elle sera prête. Elle perçoit la présence de son guide et l'impulsion croissante à suivre sa voie la plus haute.

Si vous vous sentez étourdi dans le premier contact avec votre guide, modifiez votre rythme respiratoire et détendez-vous pour laisser plus d'énergie circuler à travers votre corps. Certaines personnes retiennent leur respiration sans s'en rendre compte ou bien prennent des inspirations rapides et peu profondes et, dans les deux cas, cela peut être cause d'étourdissements. Transmettre s'accompagne souvent d'une légère sensation de chaleur et, si la pièce est trop chauffée, cela peut contribuer à provoquer des étourdissements. Une respiration normale, une bonne aération de la pièce ou une température ambiante plus basse, peuvent aider. De toute façon, cette sensation persiste rarement plus de quelques minutes.

Une autre femme, qui était tisserande et faisait des robes d'une qualité exceptionnelle, rapporta qu'en rencontrant son guide pour la première fois, elle ne voyait que des dessins, des images et des couleurs. Elle était inquiète que son guide ne soit pas réel parce qu'il se manifestait avec trop de calme et de douceur, et ne semblait pas à même de fournir des messages verbaux. Orin lui dit : *« Votre nature douce et paisible est reflétée dans celle de votre guide. C'est la nature d'un guide supérieur de choisir pour channel la personne qui correspond à ses propres énergies et qui est sur le même chemin de croissance et de lumière. Votre guide reflète votre gentillesse, votre douceur, votre bonté pour les autres. Elle reflète votre capacité et votre désir de prendre soin des autres à travers les formes et les couleurs. Elle aura des talents variés. Elle vous aidera dans votre métier, mais également portera secours par une caresse légère, un mot gentil. Soyez ce que vous êtes; votre voie est unique et c'est la vôtre, votre faculté de transmettre s'ouvrira naturellement au moment qui sera le sien. »*

Il lui fallut plusieurs mois pour trouver de quelle façon travailler avec son guide. Elle continuait à voir des images et des couleurs, plus que des mots. Parce qu'elle se comparait aux autres, qui obtenaient des informations verbales, elle jugeait qu'elle ne faisait pas les choses comme il fallait. Elle commença bientôt à s'intéresser à l'analyse des couleurs et aux façons de travailler avec elles dans l'habillement comme dans la décoration. Elle s'aperçut que, lorsqu'elle était en transe, elle pouvait voir des couleurs autour des gens, et finit alors par comprendre que des couleurs différentes signifiaient des choses différentes. Les images, symboles et dessins qu'elle percevait devenaient plus clairs. Plutôt que d'essayer de transmettre les mots, elle se mit à décrire aux gens les images qu'elle recevait. A son grand étonnement, ces images étaient pleines de sens pour les autres et les aidaient à voir symboliquement où ils en étaient. Ils pouvaient travailler sur ces images et opérer des changements dans leur façon d'envisager les situations.

Elle continue toujours à recevoir les messages à travers

couleurs et symboles, ce qui l'aide dans son travail. Elle conseille à présent les gens sur le choix des couleurs de leurs vêtements pour les amener à certains états mentaux ou émotionnels. Elle leur fait faire des méditations sur les couleurs pour les aider à se soigner et elle explore de nouveaux modes d'utilisation des couleurs dans son métier de tisserande. La difficulté majeure qu'elle rencontra, dit-elle, vint du fait qu'elle avait imaginé d'avance la forme particulière que prendrait son expérience de la transmission. Ce ne fut qu'au moment où elle accepta pleinement l'expérience qu'elle avait de son guide telle qu'elle était, qu'elle progressa et s'épanouit.

Si vous recevez des images et des dessins plutôt que des mots, commencez à transmettre en décrivant ces symboles et images. Les guides émettent de l'énergie pure, et les symboles sont souvent plus proches de leur communication que les mots. En continuant à décrire des images, vous établissez un lien plus solide avec votre guide. Avec le temps, il est plus que probable que vous capterez directement des mots plutôt que des images à déchiffrer.

La journée s'achevait; chaque participant avait joint un guide et était enchanté, voire un petit peu submergé par tout ce qu'il avait appris et par les visions et le potentiel qui commençaient à se révéler. Nous avons eu l'occasion de nous rappeler une fois encore que chacun est unique et qu'il existe une infinité de guides et de manières de recevoir leurs messages. Il y a aussi bien des façons de s'ouvrir pour transmettre.

Le blocage initial de loin le plus fréquent chez les gens est la peur que ce ne soit pas leur guide qui s'exprime, mais eux-mêmes. A cause de cette peur, certaines personnes se retiennent de communiquer ce qu'elles reçoivent. Si c'est également votre inquiétude, votre défi est de laisser les choses venir et de les dire comme elles viennent. Une fois que vous commencez à parler et que les mots se mettent à couler, le guide peut alors prendre la relève, et bientôt les messages ressemblent de moins en moins à des productions de votre imagination. C'est comme quand on pousse une voiture pour la faire démarrer; une fois que vous l'avez mise en mouvement, il devient plus facile de la faire rouler. Tout ce dont vous avez besoin pour vous ouvrir est simplement le courage de commencer, que vous sentiez ou non que votre guide est présent. Pour beaucoup de personnes, il a fallu de longs mois avant qu'elles puissent sentir leur guide. Et ceux qui ont persévéré dans la pratique du channeling sont finalement parvenus à percevoir la différence entre eux-mêmes et le guide.

13 RECITS D'EXPERIENCES APRES L'OUVERTURE

Les réactions des gens après leur ouverture

SANAYA ET DUANE   Nous ne nous attendions pas à ce que la vie des gens se transforme immédiatement, aussi avons-nous été surpris par de nombreux récits sur ce que ces personnes ont éprouvé et ce qui leur est arrivé juste après leur ouverture pour transmettre. Nous avons commencé à discerner un schéma dans les réactions des gens. Apprendre à transmettre demande beaucoup de concentration, aussi bien que l'aptitude à maintenir un point de focalisation spirituelle plus élevé que la plupart des gens n'y sont accoutumés. Nous vous présentons leurs types de réponses afin que vous puissiez vous faire une idée des réactions courantes.

Une des choses dont on fait l'expérience après l'ouverture au channeling est une intensification des rêves. Un homme, un juriste, vint pour apprendre le channeling parce qu'il se rendait compte qu'il devait bien y avoir quelque chose d'autre dans la vie que le travail. Au cours d'une journée ordinaire de travail, il se servait pour la plus grande part de son cerveau gauche, l'esprit logique. Il souhaitait utiliser le channeling pour développer ses facultés créatrices. Il effectua très bien la connexion avec son guide pendant le cours, mais il nous rapporta qu'il avait à peine pu dormir la nuit suivante. Ses rêves étaient pleins d'une quantité incroyable d'idées qui lui révélaient une chose, puis une autre, qu'il pourrait faire de sa vie. Une fois la porte d'accès ouverte, tous les rêves enfermés, les talents enfouis, les ressources cachées, commençaient à faire surface. Le channeling avait établi la connexion intense qu'il souhaitait avec son cerveau droit, créatif.

Pour certains, un autre type de réaction à l'ouverture pour transmettre est une sensation de dépression qu'ils éprouvent le lendemain, qui ne persiste que quelques heures ou tout au plus un jour. Cette sensation est similaire à celle que parfois certaines personnes nous disent éprouver immédiatement après qu'elle soient sorties de transe. Elles ne veulent pas revenir ! Une femme, qui possédait une agence de voyages, se sentit déprimée en pensant à sa vie, lorsqu'elle partit le lendemain. Elle nous dit que c'était inhabituel, que d'ordinaire ses journées se passaient dans une grande concentration sur les clients, les ventes et autres questions de ce genre. Elle avait aimé transmettre et avait été comblée par le niveau et la pertinence des messages reçus. En fait, elle n'aurait pas voulu que cela cesse, tant elle se sentait bien. Et maintenant, rien ne lui semblait aussi bon qu'avant. Nous avons demandé à son guide de commenter sa réaction. Il exposa qu'elle avait laissé de côté beaucoup de ses désirs les plus profonds, de ses besoins réels, ainsi que son progrès spirituel, pour se concentrer sur le travail et les affaires, qui n'étaient pas pour elle si gratifiantes ni importantes. Quand elle établit le lien avec son esprit supraconscient et son guide, c'était comme si elle était « de retour chez elle ». Désormais, en comparaison, les autres facettes de sa vie lui semblaient bien ternes. C'est comme si vous vous mettez à laver un tapis blanc. Après en avoir frotté un coin, le tapis entier, qui l'instant d'avant vous semblait propre, apparaît sale.

Le temps passant, elle mit en balance ses occupations extérieures avec sa vie intérieure. Elle reconnut qu'elle avait

déjà traversé des périodes dans lesquelles une voix intérieure lui murmurait avec force que ce qu'elle faisait n'était
pas satisfaisant et qu'elle n'allait pas au devant de ses
besoins réels. Elle était toujours affairée, ne prenant jamais
le temps de prêter l'oreille à son moi profond, intime. En
contactant son guide, elle put aussi commencer à entendre
son être profond. Elle réorganisa son entreprise, se
déchargeant d'une part de ses responsabilités sur un directeur qu'elle engagea. Elle se mit à prendre son temps et
choisit la peinture comme hobby. Au bout d'un certain
temps, elle rapporta que bien des fois des messages semblaient lui parvenir directement à l'esprit. Elle persévère
dans le channeling, prend contact avec son guide de façon
plus formelle pour obtenir des informations dans de nouveaux domaines et entre en transe quand elle transmet à
l'intention de quelqu'un d'autre. Elle dit qu'elle s'inquiète
beaucoup moins du futur et laisse simplement venir à elle
les choses dont elle a besoin.

Un autre type de réponse, également de nature émotionnelle, est un sentiment de paix et de contentement
immense. Une femme, qui était en conflit avec son mari
parce qu'elle ne se sentait pas reconnue, éprouva une
grande détente le lendemain de son ouverture au channeling, sans plus aucun besoin de se défendre ou de lui
prouver quoi que ce soit. Son sentiment d'être négligée
commença à disparaître et elle pardonna toutes les fautes
qu'elle avait imaginées. Au lieu de tenir tête à son mari
parce qu'il ne lui parlait pas ou qu'il ne la comprenait pas,
elle se sentit pleine de compassion pour lui et pour ce qu'il
endurait. Elle se mit à lui témoigner de la reconnaissance et
à apprécier les petites choses qu'il faisait pour elle et
qu'elle avait considérées comme dues. Au bout de quelques semaines se produisit le premier échange intime et
sincère qu'ils avaient eu depuis des années. Quand nous
avons reçu de ses nouvelles quelques mois plus tard, elle
était ravie, car leur relation était devenue si bonne qu'elle
avait l'impression de vivre avec un nouvel homme.

Certains font part d'un sentiment de fatigue ou de lassitude, et d'une inaptitude à penser clairement au lendemain ou à ce genre de choses. Un peu comme s'ils étaient des coureurs parti pour une course trop longue. Leurs « muscles » mentaux et spirituels sont fatigués et ont besoin de se reposer. Transmettre requiert de la concentration mentale et une grande lucidité. La plupart des gens ne sont pas accoutumés à se servir ainsi de leur esprit pendant de longs moments. Cette impression d'épuisement s'allège d'ordinaire en se reposant, en se détendant, en allant se promener, en dessinant, en écoutant de la musique ou en prenant un bain bien chaud. Certains trouvent qu'une forte activité physique amène de bons résultats. Cette fatigue est une réaction temporaire. A mesure que ces personnes continuent à transmettre, elles disent qu'elles se sentent la tête plus claire que par le passé.

D'autres personnes se sentent pleines d'une formidable énergie après avoir transmis. Les unes disent que le jour suivant elles veulent nettoyer leur maison de fond en comble ou faire des choses qu'elles ont laissées de côté depuis des mois. Elles ont l'impression que soudain leur vie se pare d'un nouvel éclat. Les autres se mettent à jeter des habits ou des objets qui ne leur semblent plus être en accord avec ce qu'elles vivent. Avec l'élévation de la vibration qui se produit quand vous commencez à transmettre, les choses qui représentent le vieux moi commencent à quitter votre vie. Certaines personnes, dans les jours qui suivent, se refont une garde-robe, dans un style et des couleurs complètement différents que par le passé. Elles choisissent des habits dans lesquels elles se sentent plus en vie. Leurs vieux vêtements ne leur semblent plus représentatifs de ce qu'elles sont.

Une autre réaction est que les choses que l'on prenait comme allant de soi apparaissent tout à coup différentes, inhabituelles ou étranges. Comme si on voyait le monde pour la première fois, comme si on s'éveillait après un rêve. Un couple, qui suivait ensemble le cours, nous dit qu'en allant dîner après la séance, les mets avaient un goût complètement différent. Ils se promenèrent un peu en regardant les vitrines. Ce qu'ils voyaient leur semblait irréel; les couleurs étaient incroyablement vives; les gens semblaient étranges. Ils se sentaient arriver sur terre pour la première fois ! Les impressions habituelles revinrent quelques jours plus tard. Ils avaient éprouvé tant de plaisir, disaient-ils, qu'ils auraient voulu rester beaucoup plus longtemps dans cet état de lucidité aiguisée.

Après la transmission, les gens commencent à observer réellement et à prêter attention à leur environnement, plutôt que de le traverser en étant pris dans leurs préoccupations. D'autres qui, dans les quelques jours suivant, sont allés à des fêtes ou à des réunions, se sont surpris à regarder les autres d'une façon entièrement nouvelle. Les conversations sans intérêt deviennent encore moins intéressantes et vraiment ennuyeuses; alors que d'autres gens qu'ils n'avaient pas remarqués jusque là deviennent passionnants. Ces personnes ont l'impression de se mettre à voir les autres au niveau de l'âme plutôt qu'à celui de la personnalité.

Une autre réaction commune chez les gens est de se demander si oui ou non ils ont réellement transmis. (Nous avons consacré une partie du chapitre 14 à étudier ce point.) Une femme très jolie et sportive, mère de trois enfants, qui avait très bien transmis et obtenu une bonne connexion avec son guide, fut submergée le lendemain par des doutes sur la réalité de son expérience. Elle n'avait pas cessé de demander à son guide s'il était réel. Un jour, au volant de sa voiture, un enfant endormi à l'avant et un autre jouant tranquillement derrière, elle se sentit envahie par un picotement. Une voix s'adressa alors à elle d'au dedans de sa tête, lui parlant de son futur et de choses qu'il lui était impossible de connaître, et qui plus tard s'avérèrent exactes. Elle revint nous voir pour nous dire que cette expérience avait été si saisissante qu'elle n'avait plus le moindre doute quant à la réalité de son guide.

Tout un monde neuf s'ouvrait devant elle.

D'autres effets peuvent se produire le jour suivant ou se révéler au bout de quelque temps. Certaines personnes ne remarquent aucune modification le lendemain, ni même parfois pendant plusieurs semaines; pourtant, en faisant un examen rétrospectif, elles en viennent presque toujours à se souvenir d'événements qui sortent de l'ordinaire. Une femme nous raconta qu'elle avait prévu de faire un tour dans le désert avec une amie mais, qu'ayant changé d'idée, elle s'était décidée pour les Rocheuses. Elle allait appeler son amie pour lui demander si elle était d'accord pour ce changement de programme, quand celle-ci l'appela pour lui dire qu'elle souhaitait aller dans les Rocheuses plutôt que dans le désert !

Beaucoup de gens reçoivent des nouvelles de vieux amis et mettent fin à des disputes ou des brouilles qu'ils avaient avec eux. Les choses qui les avaient retenus à un certain niveau d'énergie refont surface pour être éclaircies et dénouées. Une femme rapporta que, de retour chez elle après avoir appris à transmettre, elle reçut l'appel d'un ami dont elle n'avait pas de nouvelles depuis six ans. Cet ami avait rompu les ponts abruptement après une dispute et avait obstinément refusé toute ouverture de paix. Il appelait cette nuit-là pour s'excuser et pour chercher le moyen de pardonner et de guérir les vieilles blessures.

Il y a quelquefois des effets physiques, par exemple de petites douleurs aux épaules, au cou ou en haut du dos, qui sont des réactions à l'ouverture du canal. Au niveau physique, une des causes de ces douleurs est que l'on a l'habitude de se tenir d'une certaine façon et que, pour transmettre un guide, on tient souvent son corps d'une manière différente. Les muscles ne sont pas habitués à cette nouvelle posture et deviennent parfois douloureux. Demandez à votre guide de vous aider à vous relaxer et veillez à adopter une posture qui soit confortable. Au niveau énergétique, la cause de ces douleurs est d'ordinaire un blocage. Souvent les guides entrent par la zone du

cou et des épaules. Comme votre guide apporte une énergie plus intense dans votre corps, certaines zones peuvent
n'être pas à même de véhiculer ce courant plus fort. Imaginez un tuyau conçu pour faire couler tant de litres d'eau
par minute. Soudain vous augmentez le volume d'eau qui
l'alimente; le tuyau ne peut plus canaliser le courant. Il peut
s'enfler à tel endroit, se tordre à tel autre. Si votre guide
envoie à travers vous plus d'énergie que vous n'en avez
l'habitude, il est facile de vous ouvrir à cette énergie
additionnelle. Imaginez que vous vous ouvrez à cette
énergie et demandez à votre guide de vous aider. Le cas le
plus probable est que la gêne disparaisse au bout de
quelques minutes.

Certaines personnes, en sortant de transe, éprouvent
des baisses d'énergie, un sentiment de tristesse ou une
grande sensibilité émotionnelle. Orin et Da-Ben font
remarquer que ce sont des réactions à la sensation de
profond bien-être, d'ouverture du coeur, de connexion
avec l'univers, qui contraste fortement avec l'état ordinaire
des gens. La plupart des gens vont et viennent dans un
état de conscience qu'ils appellent « normal ». Ils le
prennent pour l'état le plus élevé qu'ils puissent éprouver.
Mais quand il font l'expérience de la réalité supérieure de
leur guide, ils se rendent compte qu'il existe tout un monde
nouveau de joie et d'expansion, et qu'ils peuvent y
accéder. Le contraste est frappant.

Nous avons observé qu'en continuant à transmettre, en
progressant, en faisant des changements dans leurs vies et
dans leurs attitudes, l'écart entre ces deux états diminue, et
que les gens éprouvent, de manière constante, plus de
bonheur et de plénitude. Il n'y a plus alors de baisse
d'énergie ou de tristesse en sortant de transe.

Une autre cause de ces baisses d'énergie peut être de
trop transmettre. Il faut du temps pour acquérir
l'entraînement nécessaire à de longues séances de
channeling. Un coureur ne part pas dans un marathon
sans avoir de l'endurance. Les signes que l'on transmet

trop sont la fatigue en sortant de transe, une impression de difficulté à se reposer, de l'anxiété ou la sensation d'être électrisé, comme si trop d'énergie traversait le corps. Si c'est le cas, réduisez le temps que vous passez en transe. Vous pouvez aussi faire des exercices physiques qui ne demandent pas beaucoup de concentration; de telles activités vous aideront à évacuer l'excès d'énergie.

Les gens n'arrêtent pas de nous apporter leurs récits de petits miracles, pour autant qu'un miracle soit petit. Un prêt qui traînait depuis des années est remboursé. Une maison en vente depuis longtemps trouve soudain acquéreur. Un objet perdu, de grande valeur, est retrouvé. Certains disent qu'il ne s'agit là que de simples coïncidences, mais les « coïncidences » s'accumulant, ils finissent par être convaincus de la présence et de la protection de leur guide.

SANAYA   Quand je commençais à transmettre Orin, je ne pouvais maintenir son énergie au-delà de vingt ou trente minutes par séance. Une année après, je pouvais la maintenir plus d'une heure. Progressivement je parvins à transmettre pendant des durées plus longues et, après beaucoup de pratique, plusieurs heures de suite, avec de courtes pauses. Pour vous ce sera peut-être plus facile et plus rapide de vous entraîner à de longues séances, aussi suivez votre propre rythme.

DUANE   Au début, je trouvais que grâce à mon travail sur le corps, je pouvais rester en transe et me concentrer instant après instant, pendant environ une heure. Puis, le temps passant, je me rendis compte que des séances de trois à quatre heures de concentration complète en transe, en travaillant sur le champ d'énergie et le corps des personnes, étaient possibles, et même tonifiantes.

SANAYA ET DUANE   Une majorité de gens qui se mettent à transmettre leur guide par la parole, ne travaillent au renforcement et à l'amélioration de leur connexion que dans les moments où ils transmettent. Si vous demeurez vigilant, vous pourrez découvrir les richesses que recèle le processus.

Une femme, excellent docteur en médecine, était venue apprendre à transmettre pour trouver encore d'autres façons de soigner et de venir en aide aux gens. Elle avait essayé beaucoup de choses dans son désir de s'ouvrir et d'étendre ses possibilités, et le channeling lui semblait en toute logique l'étape suivante. Elle pensait que la médecine traditionnelle s'occupe des symptômes et non des causes. Elle espérait que, grâce à son guide, elle pourrait être à même de voir les causes des maladies — qu'elles soient mentales, émotionnelles, spirituelles ou physiques. Bien que son ouverture à ce genre d'idées fût assez récente, elle apprenait rapidement et se lançait avec un enthousiasme considérable. Depuis l'instant où elle avait appelé son guide, elle n'arrêtait pas. Son guide avait beaucoup d'éloquence et donnait de belles réponses aux questions qu'elle-même et les autres lui posaient.

Elle était venue d'une autre ville et, de retour chez elle, se sentit quelque peu perdue. A sa connaissance, personne dans son entourage n'était intéressé, ni même ne croyait au channeling. Elle se mit à douter et se demanda si elle n'allait pas perdre cette solide connexion initiale. Il lui était difficile de transmettre et elle fut à deux doigts d'abandonner. Toutefois, elle se mit à lire tout ce qu'elle trouvait sur les questions métaphysiques. Elle se demandait si elle n'avait pas en quelque sorte laissé tomber son guide et fit appel à Orin pour savoir si elle devait faire usage de sa volonté pour transmettre chaque jour. Orin lui dit qu'elle avait besoin d'étendre le champ de ses conceptions pour devenir un meilleur channel pour son guide, et que ce qu'elle était en train de faire était exactement ce qu'il fallait pour développer son aptitude à transmettre. Il lui dit de continuer ses lectures, car son guide souhaitait qu'elle étende ses connaissances, et que le désir de transmettre reviendrait. Quelques mois plus tard, elle revint pour participer à un atelier de perfectionnement qu'Orin et Da-Ben nous avaient incités à organiser pour permettre aux personnes de développer et de renforcer leur connexion initiale avec leur guide. Elle se montra capable d'établir un contact beaucoup plus solide avec son guide et Orin lui conseilla de transmettre cinq minutes par jour, car au point où elle en était de son développement, une connexion régulière lui apporterait un grand bénéfice.

Elle nous appela après quelques mois, pour nous dire que ces cinq minutes par jour étaient devenues une puissante et régulière connexion d'une demi-heure. Elle transmettait beaucoup d'enseignements sur la médecine et commençait à comprendre de façon entièrement nouvelle le fonctionnement du corps humain et de ses systèmes énergétiques. Elle nous disait également qu'elle rencontrait des gens qui s'intéressaient au channeling et qu'elle avait conduit avec succès plusieurs ateliers de channeling.

Elle passa une année à chercher comment utiliser cette connaissance supérieure. Elle découvrit alors l'homéopathie et une autre ouverture s'opéra dans sa façon de penser. Elle vit que traiter les symptômes physiques des gens était très limité. Elle se rendit compte que les symptômes physiques révèlent un désordre dans l'énergie et que l'aborder au niveau énergétique évite qu'il ne devienne une suite de problèmes physiques. Tandis qu'elle transformait sa pratique pour y inclure ces nouvelles approches, l'ensemble de sa vie passa par des ajustements majeurs. Aux dernières nouvelles, elle était fermement établie dans le contact avec son guide et proposait ses services d'homéopathe aux personnes ouvertes aux médecines alternatives. Elle a transmis de remarquables enseignements sur la santé et la guérison, et nous espérons en apprendre plus d'elle à mesure qu'elle progresse dans sa voie.

Tecu - guide de Sanaya venant d'une autre dimension

SANAYA   Vers la fin de la première année, nous avions appris à transmettre à plus d'une centaine de personnes. Au cours de cette année, il nous a semblé, à Duane et à moi, avoir besoin de quitter périodiquement la ville pour nous mettre au calme, dans la nature, et travailler sur nos énergies et augmenter notre connexion avec les mondes supérieurs. Nous sommes partis au printemps pour Maui et là, nous avons passé le plus clair du temps à travailler sur l'énergie et à transmettre. Duane découvrit avec la plongée sous-marine un univers nouveau. Cela lui procurait une altération de conscience pendant plusieurs heures et une impression de plénitude. Ayant grandi dans le Midwest, je n'avais pas beaucoup d'expérience de l'océan, aussi apprendre à faire du surf et à nager avec masque et tuba fut un grand pas en avant. J'aimais beaucoup nager avec le masque et c'était un plaisir de regarder Duane disparaître dans les profondeurs de l'océan.

Nous avons pris le rythme d'une petite séance de channeling chaque matin et nous avons également passé plusieurs journées entières à transmettre. Il semblait que l'énergie particulière de Maui, avec Haleakala, une splendide montagne volcanique de plus de trois mille mètres, stimulait notre énergie comme jamais. Orin et Da-Ben nous dirent qu'il s'y trouvait des « hauts-lieux de pouvoir », seuils entre notre réalité et les autres dimensions. Nous avons parcouru l'île en voiture, pour sentir l'énergie des différents endroits en transmettant et voir si notre connexion avec nos guides variait selon les lieux, les conditions climatiques, l'altitude et l'environnement.

Vers la fin de notre séjour, j'eus une expérience extraordinaire, quand un autre guide, Tecu (prononcer Ti-cou), se fit connaître. Tecu était déjà venu à moi aupa-ravant, pendant un voyage de trois jours avec une amie à Kauaï. Dans ce précédent séjour, il était venu chaque matin me dicter un livre sur les modes de guérison de soi-même et des autres, et avait parlé des lois universelles de l'énergie. Orin avait encouragé cette connexion, me disant que Tecu était un être très élevé et qu'ils travaillaient ensemble. J'avais fait transcrire le livre et il contenait des enseignements très utiles. Depuis ce voyage à Kauaï, Tecu n'était pas revenu.

Tecu se présenta comme un Maître du Temps, venant des portails du monde des essences où toute matière est créée. Il parla des autres univers et des mondes de forme et de matière. Duane et moi avons trouvé ses messages fascinants. Tecu était plein d'humour. Il dit qu'il venait d'un endroit différent d'Orin, ni plus haut, ni plus bas. Il dit que ces lieux de notre monde qui sont très proches des volcans étaient pour lui les plus commodes pour communiquer en cette période. Il parla de son univers, des phases selon lesquelles il était, ou n'était pas, en synchronisation avec le plan terrestre. Il nous dit que la connexion avec lui dépendait de notre présence à certains endroits à certains moments. Il expliqua qu'il serait difficile de le faire venir aussi souvent que je le souhaiterais, car l'univers où il existait avait une fréquence très différente, qui n'était « en phase » avec la nôtre qu'à certains moments et en certains lieux.

Je trouvai cette expérience fascinante. J'appris que dans l'univers de Tecu, l'énergie était symétrique. Le corps humain représentait pour lui un défi très amusant et il prit beaucoup de plaisir à m'observer marcher. Il se demandait comment je pouvais m'y prendre pour parvenir à équilibrer ce véhicule asymétrique qu'était mon corps. A chaque fois qu'il essayait de marcher, je manquais de tomber à la renverse, jusqu'à ce qu'il saisisse la gravité et l'équilibre. La première fois qu'il était venu à moi l'année précédente, j'avais eu l'impression qu'il faisait l'inventaire de mon corps, en soupirant : « Eh bien, il n'est pas en grande forme, mais il fera l'affaire. » Depuis la dernière fois que je l'avais transmis, j'avais changé mes habitudes alimentaires et amélioré ma condition physique, et la connexion semblait plus solide.

Quand Tecu nous observa en train de manger, Duane et moi, il fut surpris par notre système nutritionnel. Il parut d'abord perplexe, puis amusé. « Je comprends à présent, dit-il. Manger est la racine de tous vos problèmes. D'abord il vous faut avoir de la nourriture. Ensuite vous avez besoin de vaisselle. Puis vous devez construire une maison pour y ranger la vaisselle. Alors vous devez aller travailler pour payer la maison. Tout cela parce que vous devez manger ! » Il ajouta que, dans son système, il suffisait d'absorber de l'énergie quand le besoin s'en faisait sentir, et que cela rendait la vie beaucoup plus facile. Son sens de l'humour était si merveilleux que nous étions pris tous deux de fous rires. Sa manière de regarder notre monde nous fit réexaminer certains de nos présupposés et convictions les plus enracinés et cela, d'une façon pleine d'amour. Il vint un jour pour nous communiquer des informations supplémentaires sur les changements qu'il observait sur terre et nous encouragea à poursuivre notre enseignement du channeling, car cela aiderait les gens à s'ajuster aux changements de fréquence et de vibration qui intervenaient sur terre.

Il est revenu plusieurs fois depuis ce voyage à Mauï, chaque fois de façon inattendue, en général pour nous en dire plus sur ce qui se produisait dans l'univers, et nous donner des conseils pratiques sur la façon d'utiliser les énergies pour progresser et réaliser notre but essentiel.

Notre visite au mont Shasta

SANAYA Nous sommes allés, Duane et moi, une partie du mois d'août dans une belle ville du Nord de la Californie, Mt. Shasta City, au pied du mont Shasta, pour travailler à ce livre, explorer des lieux de pouvoir et connecter nos guides de manière plus solide. Le mont Shasta est le foyer légendaire des Lémuriens et des Hauts Maîtres de la Fraternité Blanche, qui sont supposés vivre sur cette montagne. Bien des gens l'ont visité dans l'espoir de rencontrer les Grands Maîtres, dont la rumeur dit qu'ils n'apparaissent qu'à ceux qui sont spirituellement prêts. Nous étions dans une agréable demeure cachée dans les arbres, où nous pouvions écrire en savourant la paix et la quiétude. Nous avons campé pendant quelques jours haut dans la montagne, transmettant, randonnant, courant. Duane se mettait en forme pour escalader la montagne, qui culmine à plus de 4 200 mètres, ce qui requiert des talents de grimpeur expérimenté. Nous n'avons pas rencontré d'êtres de cette sorte, mais nous avons eu des moments merveilleux avec Orin et Da-Ben. Le pouvoir de cette montagne est tel que nous avons trouvé tous les deux une connexion plus forte avec nos guides et une capacité accrue d'atteindre les plans supérieurs.

Duane s'occupait des préparatifs de sa course. Le temps se mit au beau. Parti d'un camp de base à 2 700 mètres, il fit l'ascension jusqu'au sommet en six heures. De là, il put voir d'une part la côte et de l'autre les Sierras, séparées par des centaines de kilomètres. Il se mit à transmettre Da-Ben. De mon côté, rentrée à la maison, je ressentis soudain une formidable montée d'énergie me traverser. J'abandonnai ce que j'étais en train de faire et fermai les yeux. Je me sentais comme si j'étais assise, moi aussi, au sommet de la montagne, pouvant voir clairement le paysage. Je n'avais aucune idée précise du moment où Duane atteindrait le sommet, mais lorsque nous avons recoupé les temps ensuite, mon état accru de conscience et mon impression d'être transportée au sommet de la montagne coïncidaient exactement avec l'instant où il appela Da-Ben. Le panorama que je décrivis et l'endroit que je vis étaient exactement conformes à ce qu'il avait vu depuis le sommet. Nous avons découvert qu'à travers le channeling, nous avions un lien télépathique beaucoup plus étroit. Nous avons des expériences de plus en plus fréquentes dans lesquelles nous sommes intuitivement liés et conscients l'un de l'autre, même à des kilomètres de distance. Beaucoup d'autres personnes qui transmettent ensemble nous ont parlé d'expériences similaires.

QUATRIEME PARTIE

VOTRE DEVELOPPEMENT EN TANT QUE CHANNEL

14 TRANSMETTRE - UN GRAND EVEIL

Transmettre - un chemin de croissance spirituelle accélérée

SANAYA ET DUANE Après la rencontre avec leur guide, l'expérience des gens s'ouvrait sur des horizons si vastes qu'ils souhaitaient se revoir régulièrement pour partager et poursuivre leur merveilleuse aventure. Nous avons commencé des séances mensuelles pour leur offrir l'opportunité d'avancer dans le développement de leur channeling, et pour qu'Orin et Da-Ben répondent à leurs questions. Leurs expériences, et les enseignements qu'Orin et Da-Ben donnèrent en réponse à leurs questions, nous apprirent beaucoup sur le développement de l'aptitude à transmettre, et sur la façon dont cela affectait la vie des gens.

ORIN ET DA-BEN *Une fois que vous avez fait entrer un guide de haut niveau ou connecté votre être essentiel, vous voilà sur un chemin de croissance accélérée. L'ouverture pour transmettre crée un lien puissant entre le soi supraconscient et le moi ordinaire. Cette ouverture produit ou accélère l'éveil spirituel. Vos guides pourront vous assister dans cet éveil. Ils vous aideront à vivre avec une joie et une confiance plus grandes, avec une lucidité plus vive de ce que vous êtes. En travaillant avec eux, vous remarquerez des différences et des transformations dans votre vie. Le* *changement ne sera peut-être pas radical, mais après quelques mois ou quelques années, c'est un regard entièrement neuf que vous porterez sur vous-même.*

Après leur ouverture pour transmettre, les gens éprouvent souvent dans leur vie une grande exaltation et une illumination intérieure.

En tout nouveau commencement il y a une intense poussée d'énergie. C'est un temps d'enthousiasme, de perception intérieure, d'autoréalisation et de désir de changement. Les gens témoignent qu'après leur ouverture, ils ressentent un amour immense pour chacun de ceux qui les entourent. Ils éprouvent une plénitude d'être, le sentiment de ne faire qu'un avec l'univers. Ils se sentent capables de tout. Chaque chose de leur vie revêt un éclat particulier. C'est tout à fait comme le premier éveil à l'amour. On se sent vivre au-dessus des nuages. On est emporté par une perception complètement neuve de soi-même et du monde.

Cette période est de durée variable. Comme dans la marée, il y a un flux et un reflux après l'ouverture; vient le moment de remettre à jour les choses de la réalité ordinaire. Vous pouvez éprouver le besoin de changer de travail ou de relations. Vous pouvez être dans des situations personnelles qui nécessitent, pour être démêlées, que vous vous en occupiez activement. Ce processus de remise à jour des choses de la vie quotidienne peut vous sembler une perte d'énergie. Prenez conscience que ce processus de gestation de formes extérieures qui correspondent, dans votre vie, à votre nouveau degré de lumière intérieure, n'est pas obligatoirement très excitant. Cela peut entraîner quelque inconfort. Mais ces transformations nécessaires dans le monde des réalités renforceront en définitive votre connexion et votre aptitude à transmettre. La marée montante de l'exaltation en reviendra stimulée.

L'éveil spirituel s'opère selon des cycles, comme dans

l'océan les vagues vont et viennent. Certaines peuvent être énormes et durer très longtemps. D'autres, moins puissantes, se reforment plus souvent. A l'exaltation du commencement succède normalement une phase d'intégration, dans laquelle les perceptions intuitives s'infiltrent dans les couches plus profondes, pour s'incorporer à la personnalité. Tel qui, au début, s'est jeté à bras le corps dans le channeling, peut en venir à moins transmettre. A présent que la connexion est établie selon certaines lignes de force, il peut s'avérer nécessaire d'intégrer cette ouverture à tous les domaines de la vie, avant de reprendre le contact avec le guide et de poursuivre l'ascension. On peut avoir besoin de mettre son énergie au service de ses activités quotidiennes, pour les ajuster à cette vision supérieure, en se focalisant sur la meilleure façon d'accomplir sa tâche. Ne vous inquiétez pas si, après un certain temps, vous ne transmettez pas aussi souvent qu'au commencement. Ce peut être une phase de profonde transformation intérieure, parfois tout autant susceptible de produire des changements extérieurs. Il y a un temps où les choses surgissent de l'intérieur, plutôt que de venir des événements extérieurs. A chaque niveau de votre vie, vous intégrez une vibration supérieure. Quelquefois, quand vous vous attelez résolument à un problème, ce n'est qu'après l'avoir laissé de côté pour quelque chose d'autre que soudain apparaît la solution. C'est comme si votre esprit avait de lui-même travaillé intérieurement au problème pendant que vous vous occupiez d'autre chose. Il en va de même avec le channeling; vous pouvez le laisser de côté pour un temps et, en y revenant plus tard, trouver une connexion plus solide que jamais.

Il y a presque toujours, après l'ouverture initiale, une phase de mortes eaux. Vous y réexaminez votre vie, remettez les choses en question, y intégrez votre sagesse neuve; peut-être même ne transmettez-vous pas. Soyez sûr que c'est seulement une phase temporaire. Quand vous serez prêt pour vous ouvrir encore plus pour transmettre, vous découvrirez très probablement une connexion plus profonde, plus claire et plus solide avec votre guide.

Le channeling vous donne les outils qui vous permettent de trouver vos propres réponses.

Certaines personnes ont des attentes que le channeling ne comble pas toujours. Leur idée initiale est qu'en transmettant elles seront en contact avec un être de sagesse qui résoudra tous leurs problèmes sans le moindre travail ni intention de changer de leur part. Mais au lieu de cela, elles découvrent la nécessité constante d'apprendre leurs propres leçons et qu'elles demeurent responsables de leur propre évolution et de la marche de leur vie. Une fois qu'elles ont accepté que leur guide ne prendra pas en charge tous leurs problèmes, mais leur donnera plutôt les outils qui leur permettent de le faire, elles remettent les choses en ordre. Le channeling ne vous enlève pas vos devoirs ni vos opportunités de croissance. Il vous permet de voir les choses avec plus de clarté, pour que vous puissiez agir d'une façon plus judicieuse, et accomplir votre tâche dans la joie et le bien-être plutôt que dans le conflit.

Lorsque reflue l'exaltation du commencement, beaucoup de situations de vie que vous laissiez dans l'ombre, telles que ce travail que vous voulez quitter ou cette relation qui ne vous gratifie pas, deviennent insupportables; elles peuvent soudain appeler l'action. Votre ouverture vous guide dans la voie de la lucidité et du progrès. Tout ce qui interfère avec cette voie peut se manifester douloureusement. Vous aurez certainement une idée plus claire de la façon dont vous voudriez que les choses soient, car vous aurez vu votre vie sous un angle plus élevé et saurez ce qui est possible. Il devient difficile de nier qu'il dépend de vous de créer une vie meilleure, même si vous ne comprenez pas encore comment vous y prendre pour y arriver. Le plus souvent, on rencontre des difficultés quand on a refoulé ses sentiments et vécu une vie qui ne s'accorde pas à ce que l'on est. Vous verrez vos conflits apparaître à la surface, là où vous pouvez les regarder. Rappelez-vous que s'ils deviennent ainsi visibles, vous gagnez les moyens de les résoudre. Parfois de vieilles histoires resurgissent et, à la lumière de votre nouvelle sagesse, elle peuvent être réglées plus complètement et dépassées.

Au moment où ces problèmes se mettent à remonter, on peut être tenté de nier la validité ou la réalité des expériences et des perspectives que le channeling a amenées. Vous avez vu le doute, la résistance, la critique, devenir plus intenses dans cette phase. Une part de vous peut vouloir revenir à l'ancienne réalité, qui est familière, sinon confortable. Malgré tout, du fait qu'une nouvelle vision de vous-même s'est dévoilée, il est presque impossible de retourner en arrière, de se contenter de ces anciennes attitudes qui ne marchent pas.

Il arrive parfois que l'on soit dur avec soi-même, que l'on se dévalorise pour n'avoir pas agi plus tôt dans le sens d'une vie en accord avec cette vision supérieure. Soyez bon envers vous-même. Chaque chose vient en son temps. Pendant cette phase, les gens disent parfois qu'ils n'ont aucune volonté. Ils jugent qu'ils auraient déjà dû en faire plus. Ils se trouvent velléitaires. Ayant fait l'expérience des royaumes supérieurs, ils peuvent quelquefois se sentir inaptes ou hypersensibles à la négativité ou à la souffrance. Ne l'oubliez pas, c'est une période intense d'auto-examen. Votre personnalité compare sa nouvelle réalité potentielle avec celle que vous vivez et trouve cette dernière insuffisante.

Certaines personnes pensent que tout devrait être différent après leur ouverture à la transmission. Elles sentent qu'elles devraient être capables de tout, sans prendre en considération leur situation actuelle, leurs aptitudes, leurs forces et leurs faiblesses. Puis elles découvrent qu'elles ont encore à traiter avec les réalités telles qu'elles sont. Certains trouvent une telle énergie qu'ils se mettent à trop en faire d'un coup dans leur vie. Ils échafaudent quantité de plans, multiplient les projets, s'impliquent dans des tas de choses. Plus tard ils se rendent compte de ce dont ils disposent en temps et en énergie, et qu'il leur est nécessaire de concentrer plutôt que d'éparpiller leurs énergies.

A un degré ou à un autre, nous avons vu de tels problèmes chez pratiquement tous ceux qui se sont engagés sur la voie spirituelle. Ils ne sont pas propres au channeling. Ils se posent à quiconque s'ouvre à la réalité supraconsciente et franchit les limites de sa personnalité pour aller à la rencontre des royaumes supérieurs.

Le channeling sera un soutien pour réaliser dans votre vie les transformations que vous souhaitez.

Après cette période vient souvent un jaillissement de créativité et d'inspiration. C'est le temps de faire, d'accomplir, de mener à terme, et de manifester ce que vous souhaitez. Cela vient souvent avec l'élimination de toutes ces choses qui vous ont tenu à distance de la joie. Vous avez peut-être traversé une période de laisser-aller. Même s'il vous arrive encore par moments d'être d'humeur instable, si votre sentiment d'élévation et de confiance vacille en un sentiment d'incertitude, vous vous sentirez le plus souvent bien vivant et responsable de votre vie. C'est une phase au cours de laquelle vous allez pouvoir développer votre foi en votre orientation intérieure et cesser de vous en remettre à l'autorité des autres. Cela ne se produira pas du jour au lendemain, mais à mesure que vous progresserez à travers cette phase, vous sentirez, sous bien des aspects nouveaux, la force en vous. C'est comme si vous changiez de mobilier : pendant que vous êtes en train de démonter et de sortir les anciens meubles, voici qu'on vous livre les nouveaux. Il peut survenir quelque confusion *dans ce va-et-vient entre les anciens et les nouveaux. Mais au bout du compte, quand tout est à sa place, quel bonheur !*

Faites de vos doutes des alliés

ORIN ET DA-BEN   *Les doutes sur la réalité du channeling sont courants. Des questions telles que : « Est-ce que je transmets réellement ? » et « Y a-t-il vraiment un guide ou ne s'agit-il que de mon imagination ? » se présentent au début de votre ouverture. En général, les doutes remplissent une fonction de protection, venant des programmes acquis de vos parents et de la société pour vous permettre de sélectionner les informations à prendre en compte. Que de fois vous a-t-on dit d'être prudent, de faire attention, de surveiller vos choix. Les doutes peuvent se révéler vos alliés, car ils vous retiennent de vous lancer à corps perdu dans une aventure avant de l'avoir examinée suffisamment pour savoir si elle est valable et sans danger.*

Quand vous arrivez à cette phase de votre éveil spirituel où vous rencontrez vos doutes, vous pouvez les prendre de bien des façons. Ils vous causeront moins de difficulté si vous comprenez pourquoi ils surgissent ainsi, après votre ouverture pour transmettre. Quand s'active le moi supérieur, les inférieurs se réveillent aussi. Nous utilisons ce terme de « moi inférieur » pour désigner les parts de vous-même qui ne ressentent pas encore leur connexion avec l'intelligence créatrice supérieure de l'univers, ces parts de vous qui ne se sentent pas très gratifiées ni aimées.

Imaginez que votre personnalité soit composée d'un grand nombre de parties — une partie de sagesse, une qui doute, une autre qui est confiante, une qui aime, une qui aime être l'autorité en personne et une qui aime bien qu'on lui dise ce qu'il faut faire. Entre toutes ces différentes parties se maintient un équilibre délicat. Chacune est contrebalancée par une autre. Celle qui veut être sans contrainte et se payer du bon temps l'est par le moi qui veut se montrer sérieux et travailler dur, et ainsi de suite.

Il y a une partie en vous qui veut progresser rapidement et une autre qui aime la stabilité, et qui veut que rien ne change. Lorsque vous transmettez, la part qui veut aller de l'avant est stimulée en puissance. En conséquence, vous bouleversez l'équilibre entre elle et sa contrepartie, le moi qui aime la sécurité et grâce auquel vous êtes ancré et stable. Ce moi de sécurité veille sur vous, vous avertissant que si la partie qui veut aller de l'avant prend trop de pouvoir, vous risquez de perdre le contrôle de la situation en voulant faire trop de changements, trop rapidement. Cette partie protectrice peut tenter de saboter vos efforts d'élévation en produisant des résistances. Pour vous ralentir, elle peut user de nombreux stratagèmes, par exemple une sensation de lassitude, le doute ou l'impatience.

Vos doutes cherchent à vous aider.

Parfois vos doutes font en sorte de vous freiner, vous empêchant d'entrer en transe pour établir la connexion aussi souvent que vous le feriez sans cela, afin de donner à votre personnalité le temps d'équilibrer, d'intégrer et de mettre en place tous les changements que vous opérez dans votre vie. Votre progression s'effectue à l'allure qui vous est appropriée, quelle qu'elle soit. Vous voulez quelquefois aller plus vite que le rythme qui vous est adapté et, ce faisant, vous attirez trop de lumière d'un seul coup. Vous savez ce que sont les effets physiques d'un excès de lumière quand vous vous êtes exposé durant des heures au soleil sans protection suffisante et qu'il vous a brûlé. Il est préférable de s'habituer graduellement à la lumière, de *donner à chacune des parties de sa personnalité le temps de s'adapter. Lorsque vous transmettez, vous amenez un surcroît de lumière dans votre vie. Cela peut parfaitement s'opérer en douceur et sans danger. Parfois vos doutes agissent comme des interrupteurs, évitant une surcharge de vos circuits. Si vous transmettez trop, sans prêter attention à cette autre voix qui vous incite à ralentir, vos doutes peuvent intervenir pour vous freiner.*

Il existe en vous deux autres «personnalités» qui peuvent voir leur équilibre bouleversé par la transmission. L'une d'elle croit aux guides; elle a permis votre ouverture. Son aspiration est d'aller au-delà de la réalité connue. Mais il y en a une autre, qui dit : «Je ne crois qu'en ce que je vois, en ce que je peux toucher, saisir, goûter et entendre, et en rien d'autre.» Cette personnalité «donnez-moi-des-preuves» se trouve activée par le processus d'ouverture à la transmission. Elle réclame un indice tangible de la réalité des guides et peut susciter en vous un conflit, en vous amenant à douter de la réalité du channeling et des guides. Un tel conflit peut survenir si vous transmettez des messages qui défient vos convictions ou qui forcent votre imagination, ou même simplement quand il s'agit d'orientations simples, d'ordre pratique.

Vous demandez aux guides des informations extra-ordinaires, susceptibles de vous convaincre que vous êtes bien en contact avec les royaumes supérieurs. Quand nous vous les donnons, vous vous demandez si vous n'êtes pas en train d'inventer tout cela. Si nous vous donnons des conseils simples, ordinaires, vous pensez : «J'ai dû lire cela quelque part, je le savais déjà.» Il est difficile de vous convaincre de notre réalité, car votre mental rationnel peut expliquer tout ce que nous vous disons comme quelque chose que vous deviez déjà savoir. Soyez assuré que nous sommes attentifs et conscients de ce que vous vivez. Nous ne sommes pas offensés quand vous vous demandez si nous sommes réels. Nous vous envoyons simplement amour et compassion. Si vous pouviez expérimenter ne fût-

ce qu'une fraction de notre amour, vous sauriez que nous vous assistons par tous les moyens possibles, et que nous ne vous jugeons ni ne vous en voulons.

Une des raisons pour lesquelles vous doutez de votre channeling peut être que vous doutez de vous. Si vous n'êtes pas accoutumé à avoir foi en vos messages intérieurs, il peut vous être difficile d'avoir foi dans votre channeling, car tous deux viennent de l'intérieur. L'une des meilleures façons de travailler sur votre doute de vous-même est de chercher rétrospectivement toutes les fois où vous avez cru en vos perceptions intuitives et que, les ayant suivies, les choses ont bien tourné. Si les doutes vous tourmentent, persévérez dans votre pratique. Votre constance vous apportera de petites confirmations que vous transmettez réellement. Si vous ne vous sentez aucune énergie pour transmettre, que le channeling ne vous semble pas indiqué ni aujourd'hui, ni cette semaine, alors respectez votre sentiment profond, car il cherche probablement à vous protéger d'une ouverture trop brusque.

Dans votre confrontation avec ces conflits intérieurs entre vos diverses « subpersonnalités », vous pouvez trouver une évasion dans des choses que vous faisiez avant, que vous avez rangées dans la catégorie « peu élevées », mais qui pourtant semblent vous détendre. Au cours de cette phase, les gens négocient avec leurs résistances de bien des façons. Certains regardent la télévision, traînent, ne font pas les choses. Ils se rebiffent d'une manière ou d'une autre, en ne suivant pas leur programme d'exercices, en mangeant trop ou mal, en reprenant une habitude qui les maintient en contact avec une vieille réalité familière. Ils peuvent se sentir régresser. Il y a mille façons de neutraliser temporairement l'expansion de la cons-cience. Certains trouveront qu'ils ont besoin de dormir plus. Certains trouveront qu'ils veulent tout faire excepté transmettre ou travailler à leur croissance, pour un temps. Ne vous tracassez pas si de vieux schémas semblent *refaire surface. Votre moi qui aime la sécurité, cette personnalité Je-Ne-Veux-Pas-Changer, essaie de rétablir l'équilibre. Observez simplement ces vieux comportements pendant quelque temps avant de vous décider à agir pour les changer. Rappelez-vous que ce sont là des types de réactions fréquentes lors de tout processus d'ouverture à des niveaux supérieurs de lumière, et pas seulement à la transmission d'un guide.*

Si vous doutez de transmettre réellement un guide, faites jouer un nouveau rôle à vos doutes. Demandez à ce moi qui doute de surveiller vos transmissions, d'observer si vous exprimez les messages de façon adéquate et de s'assurer que c'est bien une haute guidance que vous recevez. Demandez-vous à vous-même si oui ou non vous pouvez utiliser les avis que vous obtenez. Dans cette discussion avec vos doutes, la chose la plus importante est de ne pas les laisser vous détourner de la joie.

Vous pouvez donner un nom à cette part de vous qui résiste, doute, s'effraie des changements que vous opérez. Dialoguez avec elle. Demandez-lui de vous dire toutes les bonnes choses qu'elle tente de faire pour vous. Vous verrez que souvent elle cherche à vous maintenir en contact avec votre vision antérieure de la réalité. Elle est très concernée par le fait que vous restiez ancré dans le monde « réel ». Il ne serait certainement pas bon de vouloir neutraliser cette subpersonnalité. Au lieu de cela, vous pourrez lui montrer une vision nouvelle et plus large de votre devenir et lui confier la mission de vous assister dans cette progression. Dites-lui de vous aider à utiliser vos transmissions pour accomplir de la façon la plus simple des choses d'ordre pratique.

Servez-vous de vos doutes comme d'une force positive qui vous motive à devenir un meilleur channel.

Ce n'est pas leur donner une importance excessive que

de vouloir entraîner vers la lumière ces voix qui doutent, qui résistent, qui s'effraient. Ne les accusez pas, ne les craignez pas, ne leur donnez pas un pouvoir tel qu'elles vous bloquent. Quand vous les entendez vous dire : « Je ne transmets pas réellement un guide, je ne fais pas vraiment un bon travail », arrêtez-vous un moment pour leur demander : « Qui est-ce qui parle ? Que veux-tu ? » Traitez-les comme vous agiriez avec un petit enfant qui a besoin d'être rassuré. C'est très bien d'avoir des doutes. Presque tout le monde traverse des périodes de doute, même les channels les plus subtils, les plus expérimentés. Vous n'êtes pas le seul.

Quand vous atteignez un nouveau stade de transmission ou d'éveil spirituel, même si vous avez déjà une bonne expérience, des doutes peuvent vous venir. La différence entre ceux qui deviennent d'excellents channels et les autres, est que les premiers continuent à transmettre sans laisser leurs doutes les arrêter. Ceux qui se demandent : « Comment pourrais-je devenir meilleur ? », se servent de leurs doutes comme d'une force positive grâce à laquelle ils améliorent et renforcent leur connexion avec leur guide. Votre moi qui doute ne veut pas vous saborder; il désire trouver le moyen d'intégrer son ancienne vision du monde aux perspectives nouvelles que vous dévoilez quand vous transmettez. Une fois que vous aurez confié à vos doutes un nouveau rôle, ils vous aideront à progresser bien plus qu'ils ne vous retiendront.

SANAYA   Un homme, propriétaire d'une chaîne de magasins, vint consulter Orin après son ouverture à la transmission. Bien qu'amenant de très bons messages lorsqu'il transmettait, il en mettait constamment la source en doute, pensant qu'il inventait tout cela. Il disait que son ouverture à la transmission lui avait donné une perspective entièrement nouvelle sur son travail et ses employés, et qu'il avait gagné un degré nouveau de paix intérieure. Il voulait vraiment se débarrasser de ses doutes, aussi Orin le fit-il parler de cette partie en lui qui doutait. Il s'aperçut alors que cette partie pleine de solidité et de sens pratique se sentait menacée. C'était elle qui avait pris en charge la responsabilité de la bonne marche de ses affaires. Elle n'allait quand même pas abdiquer le contrôle à cette autre nouvelle partie pleine d'audace, qui semblait se lancer tête baissée à l'aventure !

Il demanda à cette partie de scepticisme de surveiller soigneusement son channeling pour s'assurer que cela l'aidait dans les choses d'ordre pratique, et pour vérifier la justesse de sa traduction des communications de son guide. La part de doute sembla heureuse de cette nouvelle mission et les doutes commencèrent effectivement à disparaître. Orin incita son guide à parler à l'homme sur ce point, et son guide lui demanda : « Est-ce toi ou est-ce moi qui parle ? Il y a maintenant un bon moment que persiste cette inquiétude, mais cela n'a en fait pas grande importance. Il importe plus de demander à ton esprit de se concentrer sur les messages que tu reçois. Détermine si oui ou non ces messages te sont utiles. Si tu lis une chose qui t'est utile, tu te questionnes rarement sur son authenticité. Tu l'acceptes simplement parce que cela te semble profondément vrai. Fais de même avec ta transmission. » Cela, lié au travail précédent qu'il avait fait sur son moi sceptique, produisit une transformation qui lui permit de continuer à transmettre, et de lâcher prise à certains de ses doutes qui l'avaient importuné.

Le channeling n'est-il qu'un effet de votre imagination ?

ORIN ET DA-BEN *Transmettre un guide fait très souvent appel à une extension de votre imagination. A combien d'entre vous a-t-on appris à se fier à son imagination? C'est une croyance généralisée qu'il ne faut pas croire en l'imagination, que seules les choses réelles et scientifiquement prouvées peuvent être prises en compte. Pourtant, nombre de vos plus grandes découvertes scientifiques sont dues à l'imagination.*

Apprenez à croire et à respecter votre imagination.

Albert Einstein a «inventé» la théorie de la relativité. Puis il a prouvé qu'elle était mathématiquement possible. Thomas Edison a «inventé» l'ampoule électrique et le phonographe, les voyant en esprit avant de pouvoir les réaliser effectivement. Il croyait si fort en l'image que lui représentait son esprit qu'il fit des centaines de tentatives pour mettre au point l'ampoule électrique, persévérant même quand tout le monde lui disait que nul n'y parviendrait jamais. Chaque chose, dans votre réalité, existe en pensée avant d'exister en réalité.

Pouvez-vous appréhender l'ampleur de la richesse de votre imagination? Votre imagination peut établir le lien avec les autres univers. Elle peut vous emmener dans le passé et dans le futur. Elle peut vous relier avec l'esprit supérieur et créer ce sur quoi elle se focalise, quoi que ce soit. L'imagination peut vous permettre de voyager hors de votre corps. Si vous le désirez, vous pouvez projeter votre conscience et vous servir de votre imagination pour voir des lieux et des gens même si vous êtes très loin d'eux. En ouvrant votre imagination, vous pouvez évoluer dans de nombreuses réalités. C'est elle qui transcende la matière. Elle est l'une de vos plus hautes aptitudes. Elle vous procure des visions, des rêves, des perceptions, dans un état d'éveil qui transcende votre conscience ordinaire.

Le fait de sentir que vous inventez quelque chose ne signifie pas en lui-même que cette chose n'est pas réelle. La réalité prend sa source à l'intérieur de vous. Lorsque

228 MANUEL DE COMMUNICATION SPIRITUELLE

vous faites pour la première fois l'expérience du channeling, cela peut vous sembler comme si votre seule
imagination était en oeuvre. La vibration de l'imagination
est plus élevée que celle du mental, elle est plus libre des
limites et des contraintes de la réalité physique. Elle a la
faculté de maintenir des pensées qui pour le mental paraissent impossibles ou extraordinaires. Votre imagination est
la pierre de touche de la réalité supérieure. Persévérez à
transmettre, mettez en oeuvre votre imagination pour
exprimer les messages de votre guide, et vous vous découvrirez en train d'amener des informations plus profondes,
plus vastes.

Une nouvelle relation avec votre corps

ORIN ET DA-BEN   Quand vous transmettez un guide, en
vous ouvrant à une vibration supérieure, vous commencez
à opérer une transformation dans la structure moléculaire
et cellulaire de votre corps; vous amenez, au sens propre,
plus de lumière dans vos cellules. Vous pouvez avoir très
envie de certains aliments ou vouloir vous nourrir de façon
différente. Il y a souvent un processus de nettoyage et de
libération des tensions par lequel passe le corps au cours
des mois qui suivent l'ouverture. Vous pouvez vous
découvrir un intérêt pour le travail sur le corps, ou un
changement dans vos besoins nutritionnels ou d'exercice
physique. Vous pouvez avoir envie d'être plus souvent à
l'extérieur. Vous pouvez remarquer que les odeurs sont
plus fortes ou que votre sens du toucher est stimulé. Vous
pouvez avoir une conscience plus grande de votre corps,
une aptitude accrue pour lui prêter attention et comprendre
les signes qu'il vous adresse. Ces changements sont
différents pour chacun. Certains gagnent du poids,

d'autres en perdent. Vous redéfinirez votre relation avec beaucoup de choses personnelles, entre autres votre corps.

*En transmettant, vous amenez
plus de lumière dans votre corps.*

Il est important que votre corps vous accompagne dans ce voyage vers les vibrations plus élevées. Vous trouverez souhaitable d'harmoniser votre état physique et votre état spirituel, de les ajuster l'un à l'autre. Il n'y a pas pour cela de système diététique ni de programme d'exercices déterminés. Au lieu de cela, nous vous recommandons de suivre vos impulsions intérieures et de laisser votre guide vous aider.

ORIN *Quand Sanaya commença à transmettre, il y a plusieurs années, elle décida de changer radicalement de régime, renonçant au sucre, à l'alcool, à la viande et à la caféine, pour ne prendre que des aliments sains. Lorsqu'elle s'assit pour me demander ce que j'en pensais, je lui dis en riant qu'à mon avis, elle essayait d'opérer du jour au lendemain un changement d'état vibratoire qui nécessite environ cinq ans. Par des changements drastiques d'exercice ou de régime, la vibration physique se modifie à tel point qu'il n'y a alors plus, sur le plan extérieur, de formes adaptées pour servir de support à la vibration nouvelle. Ses activités, ses amitiés, ses façons de faire, étaient toutes en accord avec sa vibration physique. En tant que guides, nous avons observé que lorsque le fossé est trop grand entre les réalités intérieure et extérieure, ce sont bien souvent les anciennes manières d'être qui en sortent renforcées. Sanaya poursuivit malgré tout son régime de santé et, au bout de deux semaines, elle se sentit inquiète et mal à l'aise. Plus rien dans sa vie extérieure ne semblait « marcher ».*

Elle avait le choix entre deux choses : effectuer des

changements énormes dans sa vie extérieure, en bouleversant tout de façon radicale, ou bien revenir à ses anciennes habitudes. Je lui dis affectueusement de ne pas prendre comme un échec un retour à de vieilles habitudes, mais de les modifier l'une après l'autre, chacune en son temps, en étant douce et patiente envers son corps. A présent, sept ans après, la plupart de ces habitudes se sont transformées en leur mode d'expression supérieur. (Elle admet toujours sa gourmandise pour le chocolat.) Le changement s'est accompli avec aisance, en souplesse, étape par étape. Vous n'avez pas obligatoirement besoin de passer par les mêmes changements qu'elle. Chaque corps est différent des autres.

DA-BEN   Duane considère que ce n'est pas un régime qui peut agir sur son aptitude à capter les vibrations supérieures, mais l'exercice et le travail direct de l'énergie sur lui-même. Il a découvert de plus en plus de manières d'utiliser notre travail commun pour parvenir à contrôler l'énergie physique et harmoniser ses aliments et boissons avec son corps. A travers cette harmonisation, il a pu faire évoluer son corps physique sans changer de régime. Il n'y a pas une manière juste. Cherchez celle qui est valable pour vous-même et suivez-la.

ORIN ET DA-BEN   Rappelez-vous également qu'il n'est sans doute pas nécessaire de vous débarrasser d'une habitude. Vous avez plus probablement besoin de transformer la façon dont elle s'exprime dans votre vie. Votre gourmandise pour le sucre est peut-être l'expression d'un besoin d'affection inassouvi. Partez en quête d'affection, plutôt que d'user votre force de volonté à vous arrêter de manger du sucre. Votre besoin d'une cigarette peut être le reflet d'un désir de respirer plus pleinement. Fumer est peut-être le meilleur moyen que vous avez trouvé pour le combler. Ne vous arrêtez pas simplement de fumer; soyez attentif à respirer profondément. Vous pouvez faire *évoluer vos habitudes en leur expression supérieure. Elles cherchent toujours à vous apporter quelque chose de positif. Plutôt que de les voir comme des fautes, demandez des indications sur leurs expressions supérieures. Lorsque vous avez trouvé une voie d'expression plus élevée à une habitude, sa forme ancienne de manifestation disparaît.*

L'un des exercices que nous utilisons est de faire imaginer aux gens un cadran d'horloge. Midi est la position de départ, six heures la position à mi-parcours et minuit le point de la plus haute évolution. Fermez les yeux et visualisez mentalement cette horloge. Si vous mettez les heures en correspondance avec votre évolution, quelle heure est-il à votre horloge quand vous considérez votre corps physique ? Quelle heure est-il quand vous regardez le stade actuel de votre développement émotionnel ? Quelle position des aiguilles rend le mieux compte de votre développement mental ? Quelle heure est-il du point de vue de votre évolution spirituelle ? Prenez note des écarts supérieurs à trois ou quatre heures. Peut-être trouverez-vous qu'il est quatre heures à votre corps physique, tandis que votre mental marque neuf heures. Si vous souhaitez trouver l'équilibre et l'harmonie dans votre vie, concentrez-vous sur l'évolution de votre corps physique au cours de la phase qui vient.

Une femme a vu sa vie se transformer rapidement après son ouverture pour transmettre. Elle s'est trouvée capable de réaliser quelque chose qu'elle voulait faire depuis des années — perdre quatorze kilos ! Elle les perdit dans les six premiers mois, sans aucun régime. Avec l'aide de son guide, elle trouva le moyen de canaliser l'énergie à travers son corps, ce qui lui permit d'oublier sa fringale de sucreries et de diminuer son appétit. Elle témoigna que, pour la première fois depuis des années, la nourriture n'était plus maître de sa vie.

15 RENFORCER VOTRE CHANNELING

A quel rythme transmettez-vous ?

ORIN ET DA-BEN *Beaucoup parmi vous demandent avec quelle régularité ils devraient transmettre pour développer une connexion claire et solide avec leur guide. On peut définir la « régularité » en termes d'une séance par semaine aussi bien que de quelques minutes par jour. Cela peut aussi fonctionner selon un plan de plusieurs heures d'affilée pendant des périodes programmées. N'en faites pas un « il faut » ou « je dois ». Transmettez aussi souvent et aussi longtemps que cela vous semble bien. Par-dessus tout, suivez votre joie intérieure. En vous ouvrant aux royaumes supérieurs, vous éprouverez probablement un désir très profond de transmettre. Si vous jugez que vous ne transmettez pas aussi souvent que vous l'aimeriez, il vous est certes possible de faire appel à votre volonté pour vous pousser à pratiquer sans arrêt, mais nous trouvons que les résultats les plus durables viennent surtout quand il vous est agréable et utile de transmettre. Bien des personnes ont trouvé que cinq minutes trois ou quatre fois par semaine suffisent à maintenir une connexion solide, leur procurent un soutien dans leur progression et des orientations utiles.*

Il y aura des jours où la connexion sera forte, où vous serez ouvert et réceptif. Les messages vous sembleront couler sans obstacle et vous inspireront. A d'autres moments, vous trouverez peut-être plus difficile d'établir la connexion; la réception vous semblera indistincte, comme voilée, ou bien les idées ne vous viendront tout simplement pas. De nombreux facteurs sont en cause dans ces cas-là, aussi ne vous jetez pas le blâme, même si, les jours passant, il demeure difficile d'établir la connexion. Le mode de communication peut varier. Quand le contact est difficile à établir, reportez votre attention sur quelque chose d'autre, pour un temps. Peut-être avez-vous besoin de changer de décor, de plus d'exercice ou de sommeil. Ou tout simplement de faire une pause. Il y a quelquefois, dans nos mondes, des « orages magnétiques » ou des interférences qui affaiblissent la connexion. Si vous trouvez difficile de transmettre, essayez à d'autres moments.

Pour beaucoup, l'expérience du channeling est un influx soudain d'idées, de perceptions intuitives, de créativité et de claire orientation.

Vous pouvez vous trouver en train d'accéder sans peine à l'espace de transmission pendant que vous faites quelque chose qui vous apporte de la détente ou qui libère votre attention. Cela se passe toujours sous votre contrôle. Cela peut survenir en faisant un exercice physique, en courant, en prenant une douche, en écoutant de la musique, en préparant le dîner, en regardant la télévision, en priant ou en méditant. Parmi les moments où il vous est le plus facile d'entrer en contact avec votre guide, ou tout autant avec votre propre connaissance intérieure, il y a ceux où vous vous sentez détendu et en paix.

DUANE   Au début je trouvais préférable d'entrer en contact avec Da-Ben juste pour de brefs moments. Cela me permettait de m'adapter aux changements que produit le channeling dans le plan physique et sur celui de la personnalité, en suivant une progression régulière, par petites doses, sans surcharge. J'emportais toujours mon magnétophone et, si j'étais en avance à un rendez-vous, je pouvais transmettre pendant cinq minutes. Da-Ben alors poursuivait sa communication sur le même sujet que la fois précédente. Je trouvais que la pratique du channeling dans les choses de tous les jours renforçait ma connexion. Je faisais également des séances d'environ une demi-heure plusieurs fois par semaine pour transmettre des enseignements de nature scientifique. Je choisissais parfois un sujet que je connaissais bien, j'y pensais par moi-même, puis je posais des questions à Da-Ben, toujours sur ce même sujet. Au cours de la transmission, Da-Ben me donnait un nouvel éclairage; j'apprenais quelque chose à quoi je n'avais pas pensé auparavant. Cela contribuait à fortifier la connexion et à me convaincre de la réelle valeur de mon channeling.

Renforcer la connexion

ORIN ET DA-BEN   *Pour augmenter votre connexion avec votre guide, vous pouvez tourner vos pensées conscientes vers lui (ou elle) ou vers son nom. Vous n'avez pas besoin d'en faire davantage : laisser descendre en vous la lumière et l'amour de votre guide. Vous pouvez aussi apprendre à appeler votre guide pour de brefs moments, en fermant les yeux et en lui demandant une orientation, pour obtenir instantanément la simple impression d'un oui ou d'un non. Vous pouvez pratiquer cela aussi bien en attendant votre tour à la caisse du supermarché, qu'en conduisant ou en marchant dans la rue. L'essence de votre connexion avec votre guide peut être présente à tout moment où vous le voulez, et pour la durée que vous souhaitez — que ce soit trente secondes ou trois minutes. Ce type de contact ne nécessite pas de longs préparatifs. S'entraîner à trans-*

mettre dans ce type de connexion, sans processus formel d'entrée en état de transe, a l'avantage de pouvoir être pratiqué au travail, dans des réunions, en public et en fait presque n'importe où et à n'importe quel moment où vous ressentez le besoin de puiser à une source d'inspiration ou d'orientation.

En progressant dans votre pratique, vous verrez s'accroître votre aptitude à contacter et à capter de nouveaux degrés de sagesse. Vous ferez l'expérience d'une série continue de mouvements ascendants à travers votre développement. Vous véhiculerez davantage de puissance à un niveau de pure énergie en vous accoutumant toujours plus aux mondes supérieurs, apprenant à les explorer et à affiner votre vibration pour entrer en contact avec eux.

Quand on passe à un niveau supérieur de transmission, il s'ensuit parfois une période de nervosité. Cela arrive même aux channels expérimentés. Lorsque s'opère une transition vers un degré encore plus élevé de vibration, il se déclenche un processus de croissance qui ressemble parfois à la première ouverture. Cette nervosité est due en général au surcroît d'énergie qui traverse le corps et auquel on n'est pas habitué.

> *Pour transmettre, il n'est pas indispensable d'être de bonne humeur, mais seulement de vouloir l'être.*

Il vous est possible de joindre votre guide même au milieu d'une crise émotionnelle ou quand vous êtes bouleversé. Vous n'avez pas à vous forcer à être en de bonnes dispositions d'esprit, puisqu'à partir du moment où vous vous serez ouvert pour transmettre, vous aurez du mal à vous accrocher à vos émotions. Selon la perspective de votre guide, vous pourrez très certainement considérer le point de vue des différentes personnes impliquées, ou comprendre quelle leçon vous avez à tirer de cette situation et comment vous avez contribué à la produire. En *regardant les choses sous cet angle plus élevé, plus aimant, il est difficile de demeurer en colère et de rester fermé.*

Recevoir des informations plus détaillées

ORIN ET DA-BEN *Vous obtiendrez des réponses détaillées en amenant les gens à poser des questions détaillées, en les aidant à clarifier ce qu'il veulent savoir. Si une personne formule une requête d'ordre général, par exemple : « Parlez-moi de John », les guides lui demandent en général qui est John pour elle et qu'est-ce qu'elle désire particulièrement savoir à son sujet. Si quelqu'un dit : « Parlez-moi de mon travail », le guide peut demander : « Sur quel aspect particulier de votre travail désirez-vous avoir des indications ? » Obtenir des renseignements spécifiques dépend souvent, également, de votre aptitude à vous relaxer et à vous fier aux messages que vous recevez.*

Les guides pratiquent l'économie d'énergie.

Les guides pratiquent l'économie d'énergie. Nous faisons les choses avec simplicité, avec le minimum de dépense d'énergie. Si nous sommes en mesure de voir tout ce qui concerne la vie d'une personne ou son travail, il faudrait des heures pour en faire le tour. Il est bien plus rapide, et moins cher en énergie, d'amener le questionneur à préciser le point qu'il veut éclaircir et à poser simplement cette question. De plus, c'est très profitable pour les gens, car cela leur permet de se rendre clairement compte des tenants et des aboutissants. Un bon moyen pour avoir des réponses spécifiques et détaillées est donc de faire en sorte que les gens disent exactement à votre guide sur quel point précis il veulent savoir quelque chose.

Il y a un autre défi, qui se pose à votre confiance dans l'exactitude des détails que vous transmettez. Souvent votre mental se met en travers du chemin. Vous pouvez obtenir de votre guide des renseignements très concrets et cependant avoir quelque difficulté à les communiquer, à cause de votre crainte qu'ils puissent être erronés. C'est là un des obstacles à la précision. Rappelez-vous que vous recevez, en général, le message par votre cerveau droit, et qu'il est relayé par votre cerveau gauche. Votre habileté de traducteur est donc un facteur important pour livrer avec exactitude des informations détaillées. Les informations d'ordre général, impersonnel, sont plus faciles à recevoir au début, et ce n'est que par la pratique que vous deviendrez habiles dans les détails.

SANAYA Quand j'ai commencé à transmettre Orin, j'étais préoccupée par le fait que ses messages soient utiles et de valeur pour les gens. Les nombreuses réactions positives des personnes qui venaient en consultation me donnèrent confiance dans l'exactitude et l'intérêt des indications spécifiques que donnait Orin concernant le but de leur vie et leurs orientations. Malgré tout, il arrivait qu'Orin donne à une personne des renseignements très détaillés — sur ses relations, un déménagement, une promotion professionnelle et d'autres choses dont je ne pouvais rien connaître. Je m'inquiétais de l'exactitude de ces détails qu'Orin leur fournissait, à tel point qu'il m'arrivait de m'interrompre. Comme les gens témoignaient de la sagesse qu'ils trouvaient dans les conseils d'ordre général concernant leur vie, j'appris à voir que les détails mentionnés par Orin étaient tout aussi pertinents et, petit à petit, à me fier à eux. Rétrospectivement, je me demande pourquoi j'avais tant d'inquiétude. De la perspective qui était la mienne alors, je ne savais pas si tel détail était juste ou faux, aussi me fallait-il beaucoup de confiance pour communiquer les choses comme je les recevais.

A présent, je relaie facilement ce que je reçois d'Orin. L'information vient si rapidement qu'il est rare que je sache ce qu'il va dire avant de l'avoir exprimé. Ses messages me parviennent et sont dits par ma voix une fraction de seconde avant que je puisse y penser. La communication ne s'est opérée qu'à partir du moment où j'ai établi une grande confiance dans la justesse des messages et bien voulu les laisser s'exprimer sans en avoir préalablement vérifié chaque phrase. Je ne pouvais ni y ajouter quelque chose ni les modifier, mais je pouvais arrêter de parler et supprimer l'information. Rappelez-vous que la transmission consciente, par opposition à la médiumnité inconsciente, offre l'opportunité d'apprendre pendant que l'on transmet. Transmettre consciemment pose aussi ce double défi de laisser le flot d'information couler et de prendre sur soi la responsabilité de relayer avec justesse les messages du guide.

DUANE   Lorsque Da-Ben vint pour la première fois, je lui dis : « Je prendrai en charge les détails de ma vie; je ne veux pas que vous y interveniez. » Da-Ben fut merveilleux dans les renseignements scientifiques qu'il me donna, dans ses explications sur les changements planétaires et son enseignement théorique de nature générale. Au bout de quelques mois, je voulus qu'il me donne un avis précis sur une décision concernant mon travail, mais il ne le fit pas. Je commençai alors à me dire que ma connexion n'était pas suffisamment claire, à m'inquiéter de mon inaptitude à obtenir des détails au sujet de ma vie. Après six mois de tentatives pour recevoir des informations spécifiques, personnelles, je demandai à Da-Ben quel était le problème. Il me dit que je lui avais fait la requête de ne pas me donner de détails personnels et qu'il suivait mes directives. Je lui dis que j'avais changé d'idée, qu'à présent je souhaitais des orientations personnelles et des avis particuliers. Dès lors il fut merveilleux dans les conseils et les suggestions qu'il m'offrit sur des points très spécifiques. Selon mon expérience, les guides honorent vos requêtes et les limites que vous établissez. Leur respect pour vous et pour votre vie est d'une ampleur impressionnante.

Autres voies par lesquelles vos guides vous atteignent

ORIN ET DA-BEN *Outre votre transmission, nous avons d'autres manières de vous faire parvenir des informations plus spécifiques. Nous ne gaspillons pas la précieuse énergie. Chaque chose que nous faisons s'accomplit de la façon la plus facile, en sorte que toute l'énergie dont nous disposons serve au plus grand bien.*

*Les guides ont de
nombreux moyens de vous atteindre.*

Il peut vous arriver qu'après avoir transmis, vous trouviez sur votre chemin un livre qui se rapporte au sujet traité ou que vous rencontriez quelqu'un qui se met à vous en parler. Lorsque Duane et Sanaya transmettaient sur les changements qui affectent la terre, à chaque fois qu'ils en arrivaient à un point nécessitant de longues explications, il leur parvenait dans les jours suivants un livre qui développ- pait ce thème, qui clarifiait et validait ce qu'il avaient transmis. Le livre leur fournissait les données nécessaires, leur épargnant des heures de channeling.

Nous pouvons vous adresser un signe à travers un arc- en-ciel ou un fragment de cristal. Les paroles d'une chanson que vous entendez à la radio peuvent sembler parler directement à votre coeur. Vous pouvez faire un rêve qui contient une réponse. Un cours ou un enseignant peuvent vous permettre de trouver une réponse. Les guides ont de nombreux moyens de vous atteindre.

Le channeling va-t-il vous permettre de gagner à la loterie ?

ORIN ET DA-BEN   *Les capacités psychiques et extra-sensorielles utilisées pour prédire les numéros ou les événements diffèrent du channeling. Il existe sept centres d'énergie, qu'on appelle « chakras ». Ils sont, en partie, focalisés dans le corps physique. Le premier est situé à la base de l'épine dorsale et le septième au sommet de la tête, les autres se trouvant entre ces deux. Le centre psychique, sixième chakra, qui est ce qu'on appelle le « troisième oeil », est localisé entre les sourcils. Les facultés psychiques viennent de la mise en oeuvre de ce sixième chakra ou troisième oeil. Dans la transmission, vous recevez orientation par le septième chakra, appelé « Centre Coronal ». Tandis que vous ouvrez ce septième chakra, vous construisez un pont avec les royaumes supérieurs, car ce centre est associé à l'éveil spirituel. Il a également à voir avec l'imagination, la rêverie et les visions. C'est pourquoi vous pouvez vous sentir « en train d'inventer tout cela » quand vous êtes dans l'espace du channeling. Vous ouvrez ce centre en demandant orientation sur le but supérieur de votre vie et en utilisant votre aptitude à transmettre pour emplir votre vie de richesse et de puissance. Vivez votre idéal le plus élevé et soyez responsable, probe et intègre en tout ce que vous faites.*

*Il ne vous est pas nécessaire
de développer vos capacités psychiques
pour devenir un bon channel.*

Votre sixième chakra, le centre psychique, a à voir avec la clairvoyance, la précognition, la télépathie, la vision à distance (la capacité de voir des choses qui se produisent très loin quand vous n'êtes pas physiquement présent) et autres talents de cette nature. En transmettant, vous pouvez faire l'expérience d'un éveil de vos facultés psychiques, mais nous vous encourageons à considérer principalement l'ouverture de votre centre coronal, qui est votre centre spirituel. La télépathie, la clairvoyance et l'intuition sont des facultés qui peuvent se développer en transmettant, mais qui peuvent aussi être développées sans qu'on apprenne à transmettre.

SANAYA ET DUANE   Une chose que nous avons pu observer mille fois est que se servir des guides pour prédire les gagnants aux courses de chevaux ou les numéros à la roulette marche rarement. Nos guides nous ont appris que les guides élevés sont là pour notre enrichissement spirituel, et que gagner de l'argent au jeu est tout simplement sans intérêt à leurs yeux. Même les gens qui voudraient utiliser l'argent ainsi gagné à de bonnes oeuvres, découvrent d'ordinaire que l'argent leur vient à travers leurs occupations qui visent directement à venir en aide aux autres, plutôt qu'à travers un jet de dé chanceux ou une roue de loterie.

Transmettre, c'est être en connexion avec les royaumes supérieurs, et il est préférable de se concentrer sur le point d'établir un contact avec un guide de haut niveau, plutôt que sur celui de développer ses capacités psychiques. Ces facultés se révéleront le moment venu si elles sont valables pour vous sur le plan spirituel. Les guides de haut niveau ne travaillent qu'avec ceux qui se servent du channeling pour leur croissance spirituelle. Et de plus, il est fort probable qu'en suivant votre voie de progression spirituelle, vous trouviez aussi la prospérité financière.

Pouvez-vous changer de guide?

SANAYA ET DUANE Il n'est pas exceptionnel qu'un guide travaille initialement avec vous et qu'un autre vienne par la suite. Vous pouvez connecter un guide supérieur ou une partie supérieure de votre guide initial, ou encore il se peut que votre direction se modifie et qu'il soit temps de travailler avec une autre sorte de guide. Cela ne veut pas dire que celui ou celle que vous avez transmis soit inadéquat(e), mais ce guide peut avoir abaissé la vibration d'un autre plus élevé encore jusqu'à ce que vous soyez physiquement, mentalement et émotionnellement capable de répondre à une fréquence plus subtile. Certains de vous peuvent aussi travailler avec plusieurs guides en même temps, chacun d'eux (ou d'elles) ayant un domaine de compétence différent.

On peut s'aviser de la présence d'un nouveau guide de beaucoup de façons. Votre état de transe peut vous sembler différent, plus léger ou plus profond. Votre voix peut commencer à se modifier, devenir plus lente, plus profonde ou prendre un accent. Les communications de votre guide peuvent être d'une nature différente que par le passé. Votre guide peut vous sembler encore plus sage ou être à même de vous proposer une perspective encore plus large.

Un soir, une femme qui transmettait un guide depuis des années, se surprit à transmettre ce qui lui semblait être un nouveau guide. La vibration de ce nouveau guide était si élevée que chacune des personnes présentes éprouva de puissantes perceptions et de nombreux mouvements intérieurs. Elle demanda par la suite à son guide habituel si elle avait transmis un nouveau guide, mais il lui dit que non, qu'elle avait fait la connexion avec une partie beaucoup plus grande de son énergie qu'auparavant. Il n'avait pu communiquer cette partie de lui-même dans le passé à cause de la résistance qu'elle avait faite à toute cette puissance qui était venue avec cette nouvelle expansion.

Environ dix pour cent de ceux qui ont appris à transmettre un guide par l'intermédiaire de nos cours ont changé de guide durant la première année. Beaucoup d'entre eux eurent dès le début le sentiment que leur premier guide ne resterait pas leur guide permanent. Certains commencèrent à remarquer une modification après des mois de pratique régulière. Cela débutait souvent par un sentiment d'inquiétude ou de frustration à l'égard de leur channeling. Des messages d'un nouveau degré semblaient presque à leur portée à peu de chose près. Presque tous sentirent un changement d'un genre ou d'un autre ou une prémonition de quelque chose de différent avant que ne vienne le nouveau guide. Au cas où vous vous demandez si un nouveau guide est présent, posez la question. Les guides vous diront qui ils sont et ce qui arrive.

Une femme nous appela, très excitée, pour nous parler de son nouveau guide. Elle avait apprécié le premier, mais elle sentait que la connexion était faible et continuait à avoir de nombreux doutes sur la réalité de ce guide. Elle participait à un groupe de personnes qui avaient également suivi le cours et se rencontraient régulièrement. Soudain, un soir, comme elle entrait en transe, sortit une puissante voix mâle, qui se présenta comme son nouveau guide et dit que le temps était venu de commencer leur travail en commun. Ce guide lui donna des instructions précises concernant les prochaines étapes. Il était très concis, amusant et ferme dans ses avis. Chacun l'aima et il est avec elle depuis lors. Elle est ravie de la qualité de ses consultations. Son ancien guide est parti, ayant permis l'ouverture du canal pour le nouveau.

Da-Ben s'assure souvent le concours d'autres guides. Il assiste Duane dans son travail sur le corps et sur l'énergie, et aime parler sur les sujets scientifiques. Il peut, par la voix et l'énergie, faire « voyager » mentalement les gens dans les autres dimensions pour qu'ils explorent de nouvelles choses en eux-mêmes. Cependant, lorsque certaines informations spécifiques sont requises, Da-Ben fait appel à ce qu'il nomme ses « filtres ». Il demeure présent, s'occupant du maniement de l'énergie, mais un « filtre » vient relayer l'information jusqu'à Duane.

Transmettre le même guide que d'autres personnes

ORIN　*Les gens demandent souvent si plus d'une personne peut transmettre le même guide. Certains guides viennent à travers plusieurs personnes, bien qu'ils aient une tonalité et un message légèrement différents avec chacune. Les channels qui appartiennent au groupe Michaël, par exemple, disent qu'ils transmettent tous « Michaël », une conscience collective supérieure composée d'un millier d'entités.*

Beaucoup de personnes sentent qu'elles transmettent Orin. Je peux dire que je viens en effet à travers d'autres personnes, mais je ne me présente pas alors comme Orin, car Orin est la « fréquence d'identité » que j'utilise pour désigner mon énergie telle qu'elle s'exprime par Sanaya. A travers chaque channel, mon énergie s'exprime d'une manière légèrement différente et j'emploie un nom différent pour signifier une « fréquence d'identité » différente. Il est évidemment tout à fait possible qu'un autre guide prenne le nom d'« Orin », exactement comme beaucoup d'entre vous portent le même nom.

Nous sommes des parties d'une conscience collective plus vaste ou multidimensionnelle. Nous avons un sens de nous-mêmes en tant qu'individus, bien que nous soyons parts d'un plus grand tout. Vous continuerez à vous sentir être un individu au cours de votre progression, en ne devenant qu'un avec votre âme et en évoluant dans la conscience multidimensionnelle. Ce « Je » par lequel vous vous nommez incluera une identité encore plus large, de la même manière que vous avez aujourd'hui une identité plus large que lorsque vous étiez un enfant.

Il y a d'autres guides qui paraissent semblables à moi et parlent des mêmes choses que moi, car il y a beaucoup de guides qui viennent de ma réalité ou de mon plan de réalité multidimensionnelle. Moi et d'autres guides émettons sur une certaine fréquence ou gamme d'ondes, et avons des messages semblables d'amour et de paix. Parce que beaucoup de nos différences individuelles sont très subtiles et ne sont discernables qu'en dehors de votre capacité normale de percevoir l'énergie, vous ne pouvez pas dire ce qui nous distingue entre nous avant d'avoir grandement accru votre conscience et votre lucidité.

Pouvez-vous perdre votre aptitude à transmettre ?

ORIN ET DA-BEN *Le channeling est une aptitude et une connexion qui, une fois obtenues, ne peuvent cesser, à moins que vous ne le demandiez; cependant, le channeling peut changer de forme. Il peut y avoir dans votre vie des périodes où vous arrêtez de transmettre pendant une courte ou une longue durée. Nous avons observé que la plupart de ceux qui choisissent d'arrêter, pour diverses raisons, sont à même de repartir quand ils se sentent prêts.*

Certaines conditions modifieront votre contact direct avec un guide. Les gens qui rencontrent d'importants problèmes de santé peuvent traverser une période de suspension de leur connexion verbale. Cela tient en partie au fait qu'un certain degré d'harmonie dans vos corps d'énergie est requis pour nous atteindre. Quand les gens sont malades, ils ne sont pas en mesure d'atteindre l'harmonie nécessaire pour transmettre par la parole. Jamais nous ne vous retirons notre amour et notre protection; c'est seulement votre connexion verbale qui peut se trouver diminuée. Une fois la santé retrouvée, la connexion verbale sera plus forte que jamais.

Nous ne vous retirons notre connexion verbale que pour votre bien.

Une autre condition susceptible d'entraîner une suspension temporaire dans la transmission est le chagrin. Ceux qui sont dans l'affliction, qui ont perdu un être cher ou qui sont dans la peine pour une raison ou une autre, peuvent trouver plus difficile, sinon impossible, d'arriver à établir leur connexion verbale. Le chagrin et la tristesse sont des émotions très puissantes. Des émotions temporaires de tristesse ne bloqueront pas la connexion, mais le chagrin est un choc pour l'ensemble de votre système, et cela peut prendre un certain temps avant que vous ne retrouviez l'harmonie nécessaire à la connexion verbale. Les émotions fortes peuvent former comme des couches de nuages qui vous enveloppent et il nous est difficile de vous joindre à travers elles. Nous parlerons à votre esprit quand vous êtes dans le chagrin, mais il est fort probable que nous ne puissions descendre complètement jusque dans votre corps physique. Nous pourrons aussi vous envoyer l'ami, l'événement, l'information qui pourront agir pour vous guérir.

16 ALLER DANS LE MONDE COMME UN CHANNEL

Des amis qui vous soutiennent : une clé de votre succès

SANAYA ET DUANE   Cela s'est avéré un point important dans le développement de nombreux channels connus que de circonscrire initialement leur channeling à un cercle d'amis qui les soutenaient. Un environnement chaleureux, personnalisé, est plus propice à un éveil et à une ouverture des aptitudes à transmettre, qu'un entourage froid, clinique, enclin au jugement. Commencez à transmettre pour les gens qui ont un apriori favorable pour l'ensemble de votre démarche, et non pour ceux que vous aurez à convaincre que le channeling est une réalité. Vous pourrez rencontrer des personnes réceptives dans les centres ou les associations du nouvel âge.

S'engager en public prématurément peut entraîner des problèmes, particulièrement si vous n'avez pas encore pleine confiance en votre aptitude à transmettre. Les channels inexpérimentés peuvent éprouver les doutes et les peurs des autres de façon si forte que cela entrave souvent la connexion avec leur guide. La critique peut être âpre à affronter si vous n'êtes pas complètement sûr de vous et confiant.

Une femme avait aimé sa transmission et son guide,

jusqu'au jour où elle donna consultation à une amie qui n'arrivait pas à obtenir ce qu'elle désirait de son mari. Duane avait clairement vu la présence de son guide dans l'aura de cette femme durant le cours. Le guide parla à l'amie qui consultait, avec grande sincérité et grande compassion, lui disant qu'il était temps pour elle d'arrêter de chercher à obtenir de son mari qu'il agisse de la manière qu'elle voulait, et qu'elle l'accepte pour celui qu'il était. Avec douceur et amour, le guide dit à l'amie qu'il était temps qu'elle cesse de se comporter en victime et qu'elle commence à agir dans le sens de ce qu'elle souhaitait pour elle-même, car il était en son pouvoir de se créer une vie merveilleusement heureuse. L'amie répondit à la femme qu'elle était sûre que la transmission ne venait que de sa personnalité et non d'un guide. Pas encore totalement confiante en ses capacités, cette femme en fut si bouleversée qu'elle cessa de transmettre. Cette expérience du scepticisme de quelqu'un d'autre fit remonter à la surface tous ses propres doutes à l'égard de sa transmission d'un guide. Il lui fallut plusieurs mois pour repartir. Elle parvint enfin à se rendre compte que son amie avait été effrayée par son nouveau rôle d'autorité, et qu'elle n'était pas prête à abandonner le schéma dans lequel elle était une victime. Avant de devenir un channel, elle n'avait guère fait plus que de plaindre son amie de son « mauvais » mari. Tout cela changea quand elle transmit. Son guide était beaucoup plus désireux d'aider cette amie à oeuvrer pour une vie heureuse et accomplie que d'écouter ses plaintes. Dès qu'elle comprit pourquoi son amie avait réagi de cette manière, elle put reprendre le channeling. Elle se rendit compte aussi que son amie lui avait fait un cadeau en doutant de sa transmission, car en se confrontant à ses propres doutes pour les examiner, elle devint un channel encore plus solide et clair.

Une femme d'affaire, très séduisante et aux revenus importants, qui était venue de Boston en avion, avait un désir intense de transmettre, mais elle sentait que ce n'était pas le genre de chose dont elle pourrait parler avec ses amis. Elle connecta un guide pendant le cours et fit de très bonnes transmissions à l'intention d'autres personnes. Quand elle partit, elle était confiante, pour de bon, en son aptitude à transmettre. Mais de retour chez elle, c'est à peine si son mari lui adressa la parole, à cause de ce qu'il tenait pour de la folie, et ses amis la regardèrent comme si elle leur parlait une langue étrangère. Certains même se comportèrent comme s'ils doutaient de son équilibre mental lorsqu'elle leur dit qu'elle transmettait un guide.

Elle nous appela plusieurs fois pour nous dire qu'elle avait du mal à maintenir la connexion avec son guide face aux doutes de tout le monde. Orin la rassura en lui disant qu'elle avait choisi de développer sa foi en elle-même, quand bien même les autres ne supportaient pas ce qu'elle faisait. Il souligna qu'à travers toute sa vie, elle avait persévéré à faire de nombreuses choses envers lesquelles les autres se montraient critiques et qui avaient très bien réussies. Il l'encouragea également à rencontrer d'autres personnes, qui pourraient la soutenir dans sa transmission.

Quelques mois plus tard, elle nous dit au téléphone qu'elle était allée à la librairie ésotérique de son quartier, où elle avait trouvé à suivre des cours, et qu'elle avait rencontré ainsi quelques amis avec qui elle pouvait parler de ce nouveau versant de sa vie. Son mari persistait à ne rien voir de valable dans le channeling, mais ne lui était plus ouvertement hostile. Elle s'investissait encore beaucoup dans le monde des affaires, et trouvait que c'était un très grand défi que de persévérer à croire en ce qu'elle faisait face à la désapprobation et à l'inertie générales de son entourage. Orin l'encouragea à examiner si oui ou non elle désirait rester dans le monde des affaires et à explorer les possibilités d'accomplir le rêve de sa vie, quitter son travail pour écrire un livre. Ce fut pour elle une décision difficile. Elle était inquiète de ne pas arriver à écrire, de ne pas pouvoir se permettre de quitter son travail, et pensait que son mari s'y opposerait énergiquement.

Une année plus tard, elle nous appela de nouveau. Elle avait quitté son travail et elle écrivait son livre. Transmettre son guide l'avait aidée à agir dans cette direction, et des choses surprenantes se produisaient tandis qu'elle écrivait. Elle avait trouvé une grande partie du matériel de recherche dont elle avait besoin, et qu'elle avait cru qu'il lui serait difficile de se procurer. Son mari, contre toute attente, la soutenait dans son travail et, d'une manière ou d'une autre, les factures continuaient d'être payées. Elle ne s'inquiétait plus de ce que les autres pouvaient penser; elle était pleine d'enthousiasme et heureuse de sa vie. Elle se sentait une nouvelle confiance, une foi en elle-même. Elle éprouvait encore quelques doutes vis-à-vis de l'achèvement de son livre et des difficultés à être convaincue de pouvoir obtenir ce qu'elle voulait, mais elle savait que cela disparaîtrait avec le temps.

Les gens rencontrent un autre problème lorsqu'ils nourrissent l'espoir qu'après avoir appris à transmettre, ils pourront du jour au lendemain exercer professionnellement leurs talents de channel, ou encore que tous leurs problèmes seront résolus d'un coup. Une jeune femme était passée par une période difficile, juste avant son ouverture pour transmettre. Elle avait pris beaucoup de poids, avait rompu avec son ami, mais elle sentait que les choses se remettaient en ordre. Elle n'avait pas encore une énorme confiance en elle-même, mais elle commençait à perdre quelques kilos et à prendre soin de son corps. Elle occupait un poste de direction et souhaitait transmettre, soit en tant que professionnelle, soit pour des amis, et découvrir sa propre voie et le but supérieur de sa vie. Elle sentait que sa carrière actuelle n'était que temporaire et qu'elle s'arrêterait dès qu'elle aurait trouvé sa voie spirituelle. Elle était très enthousiaste pour apprendre à transmettre et impatiente d'établir la connexion avec son guide, tout en se demandant d'un autre côté si elle pouvait réellement avoir un guide et en craignant d'avoir du mal à établir la connexion.

Elle était si nerveuse au matin de ce cours qu'elle en avait mal à l'estomac. Les choses se passèrent bien malgré tout et elle fut très contente d'elle-même. Quand elle transmettait, sa voix changeait et les gestes de son guide étaient distinctement différents des siens. Et surtout, elle transmettait de clairs et sages avis. Quatre mois plus tard environ, elle nous appela pour nous dire qu'elle rencontrait des difficultés, en partie parce que ses amis ne lui témoignaient pas beaucoup d'intérêt ni de soutien. Elle sentait que la connexion avec son guide n'était pas aussi solide qu'elle l'avait été précédemment. Elle avait souhaité alors pouvoir découvrir une totale confiance en elle-même et connaître quelle était exactement sa voie. Elle avait également espéré pouvoir transmettre publiquement, en tant que professionnelle.

Orin lui dit : *« Vous ne faites encore l'expérience que d'une fraction de la véritable énergie de votre guide. Votre corps physique ne peut en supporter plus pour le moment. En fait, votre guide vient un peu plus rapidement et vous amène un peu plus haut que son intention originelle, à cause de votre grand enthousiasme. Il s'est avancé un petit peu pour permettre à votre corps, à vos émotions et à votre être extérieur de le rattraper. Votre guide vous communique une grande somme de données à la fois, puis laisse passer un certain temps avant la transmission suivante pour vous permettre d'assimiler ces informations et de maintenir de votre côté le canal ouvert. Ne vous inquiétez pas si la vague semble se retirer. C'est comme la marée qui descend; elle reviendra montante. Votre guide vous donne maintenant le temps de penser par vous-même, afin que votre croissance ne soit pas dépendante de lui, ni que vous croyiez que votre sagesse ne vous vient que de transmettre un guide.*

« Soyez patiente ! Appréciez cette découverte progressive de votre guide. Prenez le temps de mettre votre propre vie en ordre. Les étapes précédentes vous ont procuré beaucoup de progrès et de richesse. Vous êtes comme un enfant qui apprend à marcher; il vous faut du

temps pour pratiquer et trouver votre stabilité avant d'aller dans le monde. Plus tard vous offrirez votre travail au monde, mais cherchez d'abord à établir des fondations solides, robustes, basées sur l'expérience et la sagesse. Peut-être est-il nécessaire que votre être intérieur se transforme dans une grande mesure avant que vous ne soyez prête à changer de travail et à prendre sur vous la responsabilité de servir les autres par l'exercice professionnel du channeling. Cela peut prendre plusieurs années avant que vous ne soyez prête. La véritable confiance en vous-même ne peut vous être prodiguée par votre guide, car c'est un don que vous vous faites à vous-même. Chaque chose que vous faites accélère la découverte de votre voie la plus haute, même si cela ne semble pas s'y rapporter. Une fois que vous avez affirmé votre intention de suivre votre voie, tout ce qui arrive vous aide à aller dans ce sens.

« Peut-être aussi vous représentez-vous qu'être sur votre voie signifie être connue, que beaucoup de monde vienne consulter votre guide. Accéder à une conscience supérieure est la chose la plus importante que vous puissiez faire pour venir en aide aux autres, car à mesure que vous progressez dans ce sens, vous devenez une station réémettrice pour les autres. Vous devenez comme un diapason grâce auquel les autres peuvent faire l'expérience de s'accorder à une conscience supérieure rien qu'en étant en votre présence. La plupart des grands instructeurs enseignent par l'exemple, en mettant leur propre vie en ordre. Les gens témoignent qu'ils se sentent illuminés rien qu'en étant près d'eux. Si vous élevez votre qualité de conscience, vous êtes sur votre voie. Les formes spécifiques et les détails viendront par la suite. Chaque chose que vous désirez viendra en son temps.

« Votre guide ne va pas vous dire quelle est votre voie; il va vous aider à atteindre un seuil de vibration supérieure afin que vous soyez en mesure de le découvrir par vous-même. Sa priorité actuelle est de vous aider à stabiliser et renforcer cette vibration plus haute que vous avez laissé descendre grâce à votre connexion avec les royaumes supérieurs. Il vous a déjà aidé à penser de manière plus élevée, bien que vous ne vous en rendiez pas compte, du fait que les changements se sont effectués en douceur, d'une façon qui ne heurtait pas votre inclination antérieure. Bientôt votre être extérieur s'ajustera aux changements de votre monde intérieur. Ce qui est pour l'instant accentué, c'est le développement de votre être intérieur. Lorsque vous aurez traversé cette période, vous vous trouverez ouverte à un autre niveau d'information venant de votre guide. Il se peut que vous soyez frustrée. La part importante de votre croissance dans la phase actuelle est d'ouvrir votre cœur, d'avoir foi en vous-même et en votre guide, et d'apprendre à croire que vous pouvez obtenir ce que vous voulez. C'est un aspect de votre processus d'ouverture qui très probablement se poursuivra tout au long de votre évolution. »

Cette consultation aida la jeune femme à lâcher prise à sa frustration et à son anxiété, et elle put mieux apprécier sa transmission. Une fois qu'elle eut laissé partir ses inquiétudes, les changements qu'elle souhaitait commencèrent à se produire. Elle eut une promotion professionnelle, avec une augmentation de salaire, se mit à jouer au base-ball et perdit petit à petit du poids. Elle laissa le channeling de côté pour un moment, mais six mois plus tard, elle y revenait; sa connexion fut alors forte et stable. Dix-huit mois après, elle nous dit qu'un projet de monter un commerce avec une amie était devenu une réalité. Ce n'était pas exactement ce qu'elle espérait, mais elle soupçonnait qu'apprendre à diriger sa propre affaire serait une étape préparatoire avant de devenir un channel professionnel; elle pourrait y trouver comment venir en aide aux autres, gérer ses finances et d'autres talents précieux. Elle nous dit qu'elle apprend à faire confiance à ce qui vient, à ne plus essayer de faire arriver chaque chose de façon préétablie.

Votre nouveau rôle envers vos amis

ORIN ET DA-BEN   *Présentez votre guide et le travail que vous faites avec lui avec beaucoup de respect. La confiance et la compassion que vous projetez à travers votre transmission détermineront la façon dont les autres y répondront. Votre manière de présenter votre transmission — autant que vos paroles, votre attention pour les détails, votre apparence — sera l'indice de la qualité de votre travail aux yeux des autres. Prenez le temps de transmettre avec beaucoup de soin, avec justesse et précision, et présentez votre guide sous le meilleur jour possible. Votre intégrité, votre amour et votre personnalité se reflètent également dans vos consultations. Vous êtes le représentant de votre guide sur le plan terrestre.*

Quand vous donnez des consultations, vous agissez comme un conseiller de vie. Votre rôle consistera à assister les autres dans tous les aspects de leur vie, y compris leur évolution spirituelle. Il vous regarderont de plus en plus comme un instructeur et un guérisseur. Transmettre pour les autres entraîne souvent un changement dans votre identité. Votre guide parlera probablement avec plus d'autorité et de puissance que vous ne le faites en général, aussi les autres vous verront-ils comme l'autorité et la personne qui en est investie. Vous aurez besoin de vous habituer à parler avec ce nouveau degré de sagesse. Bien des personnes ont trouvé qu'accepter ce nouveau rôle est l'aspect le plus difficile de la transmission pour les autres. Avec lui viennent à la fois l'occasion d'apporter aux autres une aide accrue et la responsabilité d'agir avec une grande intégrité.

N'ayez pas le sentiment que les gens doivent venir à

vous. Demandez simplement d'entrer en contact avec ceux que vous pourrez le mieux servir, qui bénéficieront vraiment de votre travail sur le plan de l'âme, et vous les verrez venir à vous. Vous pouvez faire en sorte d'attirer magnétiquement ceux qui partagent votre type de vibration, et qui donc apprécieront ce que vous faites. Plutôt que d'envoyer votre énergie vers l'extérieur, ATTIREZ à vous de telles personnes. Faites comme si vous étiez un aimant qui attire jusqu'à lui ceux qui peuvent progresser grâce à ce que vous avez à offrir et en bénéficier.

En transmettant, vous irradiez plus de lumière et devenez comme un aimant pour les autres.

Vous commencerez à attirer de façon naturelle les personnes se trouvant sur le même chemin de croissance accélérée que vous et capables de se relier à vos nouveaux centres d'intérêt. Vous pourrez trouver que vous appréciez la compagnie d'un type de personnes différent que dans le passé. D'anciens amis, peu intéressés par votre recherche, peuvent quitter la scène de votre vie. Il se peut que vous n'aimiez plus être avec ceux qui semblent n'avoir aucun but dans la vie. Les circonstances peuvent vous amener à tirer au clair certains points avec vos amis. Vous pourrez aussi voir beaucoup d'amis nouveaux entrer dans votre vie quand vous y serez prêt.

Comment parler aux autres du channeling

DUANE Beaucoup de ceux qui s'ouvrent pour transmettre se sentent poussés à en parler ou à expliquer ce que c'est à leurs amis. Le channeling est une expérience et, comme toute expérience, est difficile à décrire. Transmettre relève de cette partie de la réalité qui n'a de sens que si l'on en fait l'expérience individuelle. A notre avis, le mieux est de s'appuyer sur sa propre expérience si l'on cherche à expliquer ce qu'est le channeling. Parlez à vos amis de ce que transmettre signifie pour vous à travers certaines de vos expériences dans cette voie.

Les gens à qui vous parlez du channeling peuvent avoir des réactions très diverses, allant de « c'est extraordinaire, je veux découvrir ça ! » jusqu'à « cela ne tient pas debout » ou même « méfie-toi, cela peut être dangereux ! » Ceux qui manifesteront le premier type de réponse donneront un nouveau sens à votre amitié : laissez-vous donc guider par votre enthousiasme. Mais vous pouvez être surpris ou embarrassé pour répondre quand vous rencontrez le second type de réaction, c'est pourquoi nous vous présentons nos propres expériences et les conseils d'Orin et de Da-Ben à cet égard.

Avant tout, si vous rencontrez le doute, ne cherchez pas à vous défendre, mais à comprendre. Rappelez-vous que vos amis ne sont pas les premiers à réagir ainsi, par le doute ou le discrédit vis-à-vis de ce phénomène de transmission. Il vous est peut-être arrivé à vous-même d'avoir ce type de réaction. En cherchant à « prouver » le channeling à ceux qui n'en ont pas fait l'expérience ou qui ne croient pas à sa possibilité pour eux, vous risquez d'avoir l'impression que le fossé se creuse entre vos deux réalités. Vous n'avez pas à prouver quoi que ce soit. C'est dans votre propre conviction intérieure que repose en définitive ce qui fait pour vous autorité, et non dans les pensées ou opinions des autres. Demeurez fidèle à votre propre intégrité, car il n'est rien de plus que nous puissions offrir aux autres, qui que nous soyons, que l'exemple de notre vie à l'oeuvre. Servez-vous de votre vérité intérieure et de votre transmission pour réussir votre vie. Il est également important pour vous de permettre aux autres d'avoir leur vérité. Pour admettre ces idées, certains d'eux devraient réorganiser leur vie de fond en comble, ce qui est pour tout le monde une perspective assez terrifiante, comme vous le rappellera peut-être votre propre expérience. Restez ouvert, attentif au moment présent, à l'écoute de ceux qui, dans votre entourage, accèdent à de nouveaux degrés de conscience, car dans leur recherche ils peuvent vous solliciter pour discuter de ces idées.

« Prouver » que les guides existent et que le processus du channeling est « valide » présente un certain nombre de difficultés qui sont de nature à entraîner assez loin. Ainsi que nous l'avons appris, toute preuve ne réside qu'en ce qui pour tel individu particulier constitue une preuve. Avant d'admettre une chose pour vraie, nous l'examinons pour en mesurer l'évidence selon nos propres critères. Si elle passe nos tests avec succès, nous la tenons pour prouvée et nous basons sur elle nos actes ou notre vision de la réalité. Chaque jour nous acceptons dans nos vies un certain nombre de choses comme étant démontrées, sans examen approfondi des présupposés qui les sous-tendent. Et à l'évidence, nous ne pourrions pas faire grand-chose s'il nous fallait passer notre temps et consacrer nos efforts à « prouver » chacune des choses avec lesquelles nous entrons en contact.

Dans un sens très réel, nos croyances déterminent, sur une base individuelle, ce qu'est notre monde. Nous acceptons l'existence des atomes sans en avoir jamais vus nous-mêmes. Nous acceptons des informations dans toutes sortes de domaines, depuis les conditions de circulation sur les autoroutes jusqu'aux événements qui surviennent sur la planète. Nous les admettons sans en demander de preuves, nous reposant en confiance sur l'idée que ceux qui nous procurent ces informations sont des observateurs méticuleux, qui maîtrisent suffisamment leur sujet pour en tirer des conclusions exactes. Souvent, pourtant, quand nous vérifions par nous-mêmes le bien-fondé de telle information, nous voyons que leurs conclusions ou leurs observations diffèrent des nôtres. En dernier ressort, ce sont nos propres expériences en tant qu'individus qui font sens pour nous.

Il y a d'autres moments où nos croyances, non examinées depuis trop longtemps, nous desservent. La croyance que la terre était plate a empêché pendant de très longues années la découverte de territoires nouveaux. Le channeling appartient à ce domaine vis-à-vis duquel les croyances collectives n'ont pas été réexaminées depuis trop longtemps, mais qui commence à être reconsidéré par beaucoup de gens, au nombre desquels vous êtes. Le channeling nous met au défi de remettre en question nos présupposés à l'égard de la nature de la réalité et nous offre le potentiel d'élargir considérablement la vision qu'a l'humanité du domaine du possible. Il met les gens en contact avec des idées qui sont à la frontière de ce que l'homme peut « prouver » au stade actuel de son évolution. Ce sont ces idées qui déterminent notre conception de nous-mêmes et qui constituent le fondement de la philosophie, de la religion et de la science. Un changement d'attitude à l'égard de ces idées a le pouvoir de produire pour l'humanité un véritable renversement de paradigme. Le channeling nous ouvre immédiatement une voie de transformation et de transcendance de nos cadres de références concernant l'idée que nous avons de la vie après la mort, de l'intelligence à l'oeuvre dans l'univers, de la nature de la matière et des systèmes biologiques. Et il semble que ce ne soit là que le début des ouvertures au changement que le channeling peut nous permettre d'opérer.

La science est souvent la référence pour juger si une chose est « réelle ». Cela est dû en partie à la confiance dont les scientifiques créditent les découvertes de leurs collègues. Il est rare qu'ils remettent en question les conclusions tirées d'un ensemble de données, se reposant sur l'honnêteté et l'intégrité de leurs confrères, censés diffuser des informations exactes. Cela est particulièrement vrai si ces conclusions correspondent à leurs propres vues ou à celles qui sont communément admises par la société. Lesquelles conclusions s'ajoutent à la trame, souvent cachée, des présupposés qui sous-tendent les recherches des autres scientifiques. Il arrive quelquefois que certaines de ces suppositions sous-jacentes se révèlent plus tard erronées. Quiconque s'est penché tant soit peu sur l'histoire des sciences, sait bien que nombre de nouvelles théories, qui ont plus tard été démontrées comme vraies, furent d'abord rejetées pendant des années par la science établie sans réel examen de leurs implications.

Le channeling exerce une certaine fascination sur les scientifiques qui jettent un regard de ce côté. Il fait partie de ces choses que la science range arbitrairement dans la catégorie des «phénomènes paranormaux». Le terme de «paranormal» en lui-même pose problème. Ce mot renvoie en général à tout phénomène que l'on situe en dehors de la réalité normale. La tâche que s'assignent les scientifiques est de définir la nature de la réalité. Etant donné que cette étiquette de paranormal sous-entend qu'ils ne font pas partie de la réalité normale, les phénomènes paranormaux ne peuvent qu'être de nature à heurter de face la logique scientifique dans ses prémisses. C'est ce qui semble se refléter dans la réaction typique des scientifiques selon laquelle, de deux choses l'une, ou bien ces phénomènes ne se produisent pas, ou bien ils se produisent, mais étant donné qu'ils ne peuvent être aisément expliqués, il vaut mieux, au nom de la santé mentale, les ignorer. Ce sont là des réponses curieuses de la part de gens ayant choisi une discipline qui encourage l'investigation minutieuse et cultive l'espoir de parvenir à trouver une explication à ce qui demeure inexpliqué.

Dès que nous explorons de nouveaux domaines, nous rencontrons l'inconnu. Beaucoup d'entre nous réagissent à l'inconnu par l'appréhension. Chaque individu a ses zones de peur — et d'enthousiasme; chaque société a ses zones de peur — et d'enthousiasme. Des pressions sociales s'exercent parfois à l'encontre du désir de porter à l'attention du public des faits inexpliqués. Malgré tout, quand l'inconnu devient connu, les peurs sont vaincues et, souvent, les nouvelles idées sont adoptées avec enthousiasme.

Lorsque je commençai à explorer le domaine du Nouvel Age, j'étais un parfait sceptique. Après plusieurs expériences individuelles distinctes et une profusion de signes perçus dans mon introspection au long de plusieurs années, le poids de l'évidence devint en tout cas tel que je ne pouvais plus ignorer ces choses, et mes croyances commencèrent à s'ébranler. Petit à petit je me rendis compte que, bien que ces expériences ne puissent être scientifiquement expliquées ni prouvées, elle étaient importantes et, à ma surprise, assez cohérentes et fiables pour être utilisées. Bref, elles amenaient des résultats.

Etant donné les difficultés de prouver les phénomènes d'expérience, le plus important peut-être à retenir est ce fait d'observation que le channeling, tel que nous l'avons défini, constitue une contribution positive et significative à la réalité de ce que vivent les gens et à leurs activités d'ordre spirituel. Ceux que nous connaissons sont productifs; en fait, nombre d'entre eux sont des membres éminents de la société. Beaucoup avaient connu le succès et la fortune avant de s'engager consciemment dans le channeling, qu'il mettent en oeuvre de bien des façons, comme leurs histoires le montrent. Ils ont rencontré un succès plus grand encore après leur ouverture pour transmettre, ayant mis leur vie en ordre selon une perspective plus élevée.

Quand, à présent, je regarde le channeling avec mon esprit scientifique, même si je « sais » beaucoup de choses à ce sujet, je ne peux toujours pas le prouver scientifiquement. Mais il y a une profusion d'évidences indirectes, liées aux circonstances, qui suffisent à me prouver que quelque chose existe, quelque chose que nous ne pouvons pas expliquer avec notre conception actuelle de la réalité. Je peux observer la régularité des résultats positifs qu'il produit. J'ai cessé d'essayer de « prouver » que le channeling est réel, pour adopter une attitude plus proche de celle du monde des affaires : « Si cela marche, utilisez-le. »

Rencontrer le public

SANAYA ET DUANE Certains de vous seront plus prêts que d'autres à faire de leur transmission une chose publique. Soyez à l'écoute de votre sentiment intime sur ce point et ne vous sentez pas obligé d'offrir vos consultations aux autres d'une façon qui pourrait être prématurée. Ceux qui se lancent en public rapidement disposent souvent d'une expérience antérieure comme consultant ou thérapeute, qui les a habitués au contact avec les gens dans l'aide à leur apporter.

Julie, une femme qui exerçait comme thérapeute dans le travail sur le corps, fut sollicitée pour donner une conférence dans une société féminine locale. En tant que thérapeute, elle donnait chaque année une conférence sur un sujet de son choix à un groupe de femmes qu'elle estimait passablement conservatrices. Elle avait tout juste commencé à transmettre le mois précédent et son guide l'encourageait instamment à parler en public de ses nombreuses expériences récentes de channeling. Elle affirma d'abord que c'était hors de question, car elle ne voulait pas se trouver face à des résistances, ni s'entendre dire qu'elle n'avait plus les pieds sur terre. Elle dit « Non » à son guide et prépara une conférence ordinaire. Au dernier moment, alors qu'elle était assise face à son auditoire, un changement s'opéra en elle. Elle décida de se fier à son guide et de prendre le risque de parler à ces femmes de son expérience de la transmission. Le résultat fut surprenant. Ses auditrices furent fascinées et voulurent en savoir le plus possible. Loin de les laisser froides ou sceptiques, le sujet les enthousiasma. Beaucoup d'entre elles se mirent à parler d'expériences personnelles qu'elles avaient tenues secrètes de peur que les autres ne se moquent d'elles. Julie disait que la chaleur du partage qui en résulta dépassait de loin toutes ses expériences précédentes.

Forte de cet encouragement, elle décida de tenir chaque mois une réunion chez elle et de transmettre son guide, Jason, pour ses consultants. Chaque semaine son guide choisissait un sujet sur lequel il donnait une communication à l'intention d'un groupe de personnes. Sur la base de ces transmissions, elle se mit à écrire un livre, tandis que de plus en plus de gens venaient la voir. L'appel fait à ses services prit une telle ampleur qu'il lui fallut trouver de nouveaux moyens de satisfaire la demande de tous ceux qui désiraient la voir. Elle étudia avec Duane, auprès de qui elle développa sa clairvoyance. Elle travailla avec nous et assista beaucoup de personnes dans les cours d'ouverture à la transmission, en les aidant à harmoniser leurs énergies.

Julie était prête à livrer son channeling au public parce qu'elle disposait de toutes ces années d'expériences de thérapeute et d'animatrice de groupes. Respectez le rythme qui vous convient; soyez patient. Votre travail avec votre guide se développera selon son rythme naturel.

Vos relations avec les autres channels

ORIN ET DA-BEN   *Vous êtes nombreux à vous ouvrir pour transmettre et il est important de soutenir et d'encourager les autres dans leur ouverture. Chacun de vous a une précieuse contribution à apporter. En vous ouvrant pour transmettre, vous devenez membre d'une communauté plus grande, celle de tous ceux qui transmettent. Chacun de vous pensant et agissant de manière nouvelle, des formes de pensées plus élevées, plus riches d'amour, se répandent à travers le monde. La forme suit la pensée. Des changements réels se produiront sur terre à mesure que de plus en plus d'entre vous s'ouvriront et affineront leur connexion avec les dimensions supérieures, et apporteront cette lumière multipliée dans votre vie de tous les jours. Dans les royaumes supérieurs, beaucoup de choses s'accomplissent par le travail collectif d'un groupe de personnes partageant les mêmes idées. A mesure que vous vous ouvrez plus nombreux, vous formez un réseau de lumière tout autour de la planète, activant un potentiel supérieur pour l'humanité. C'est à travers le travail en commun, le soutien et le renforcement mutuels, que chacun de vous sera poussé plus loin encore dans sa direction individuelle, quelle qu'elle soit.*

Célébrez mutuellement vos succès — ayez une vision positive et élevée pour les autres.

On peut vous demander ce que vous pensez des guides d'autres personnes. Il y a de nombreuses façons de considérer toute question. Cela fait partie de votre évolution que de rechercher la perspective la plus haute pour consi-

dérer toute question qui se pose à vous. Si l'on vous pose une question au sujet d'un guide, plutôt qu'un jugement tranché, tout blanc ou tout noir, à moins que vous n'ayez une opinion très nette dans un sens ou dans l'autre, demandez : « Sur quel point particulier désirez-vous connaître mon avis ou celui de mon guide ? » Puis répondez en commentant ce point. S'il s'agit de quelque chose qui vous est rapporté, cherchez à savoir exactement ce que le guide a dit. Même les guides les plus hauts peuvent dire à l'occasion des choses qui ne vous intéressent pas, ou avec lesquelles vous n'êtes pas d'accord, ou que vous abordez avec un point de vue différent. Cela signifie simplement que vous devez vous comporter selon votre propre expérience, telle qu'elle est, et non pas que ce guide a tort. Cette attitude vous évitera d'avoir l'impression de devoir « juger » les autres guides en termes de tort ou de raison, et vous permettra plutôt de donner votre point de vue ou celui de votre guide sur la question.

Souvent, les gens estiment qu'il est inutile de diffuser leur travail, d'écrire un livre ou de donner des cours, puisqu'il y en a déjà tant d'autres qui font un travail similaire. Au contraire, nous vous suggérons l'idée que chaque personne qui publie son travail vous aide grandement à publier le vôtre. Il y a un plan pour l'évolution de l'humanité et chacun de vous a une part spécifique à y prendre. Une personne seule ne saurait amener cette élévation de la conscience qui survient actuellement. Chacun de vous y contribue précieusement.

Ne vous laissez pas arrêter par le nombre de ceux qui vous semblent déjà faire ce que vous voulez faire. Un bon livre trouve toujours sa place. Même s'il existe plusieurs livres sur tel sujet, écrivez le vôtre si vous vous y sentez poussé. Votre message, votre manière de l'exprimer, l'énergie véhiculée par vos mots, toucheront un groupe différent de personnes que le livre d'un autre auteur. Si vous pensez que telle personne donne déjà des cours sur le sujet qui est le vôtre, donnez quand même vos cours.

Cela canalisera votre énergie, atteindra ceux qui ont besoin de votre enseignement et leur permettra de s'ouvrir d'une façon unique. Il y a beaucoup de gens que cela intéresse, plus qu'il n'en faut pour que vos cours soient pleins, pour que vos livres soient achetés, aussi nombreux soient-ils, et il y a un grand soutien pour vos services et vos productions.

Pour que s'instaure une nouvelle forme de pensée, il est nécessaire que beaucoup de personnes, de tous les horizons et dans beaucoup de domaines différents, diffusent des messages similaires. Plus fréquemment les gens rencontreront une certaine idée, et particulièrement si elle est présentée de façons différentes par des personnes différentes, plus elle prendra de réalité pour eux. Et à mesure qu'elle devient plus réelle, un mouvement de transformation de conscience s'opère pour beaucoup d'autres gens. Allez de l'avant et livrez votre travail au monde, si tel est votre vrai désir.

17 TRANSMETTRE - LE MOMENT EST VENU

Le channeling dans le passé

SANAYA ET DUANE   Ce n'est pas la première fois dans l'histoire que des gens se sont préoccupés d'établir des contacts avec des entités appartenant à d'autres plans. Nous vous donnons ici des informations succinctes sur quelques channels célèbres et un aperçu des moments importants de l'histoire récente du channeling. Il y a aujourd'hui beaucoup d'excellents channels et nous vous invitons à vous laisser guider par votre curiosité pour découvrir leurs livres, leurs cours ou leurs enregistrements audio ou vidéo, et en apprendre ainsi plus sur le channeling et les guides. Dans le passé, ceux qui entraient en contact avec les « esprits » s'appelaient « médiums ». Quand à travers leurs connexions ils amenaient ces esprits à s'exprimer, on désignait cela par l'expression « transe médiumnique ».

Vers la moitié du dix-neuvième siècle, les phénomènes de communications spirites rencontrèrent un énorme intérêt de la part du public. Les tables tournantes, la télékinésie (déplacement d'objets sous l'effet d'une force invisible), les matérialisations (manifestations visibles et temporaires de visages, d'yeux, de têtes ou de corps entiers d'entités désincarnées), la lévitation (objets ou corps soulevés par une force invisible) et bien d'autres phénomènes inexplicables se produisaient. La communication avec les esprits devint un thème si populaire qu'on rapporte qu'en 1862, une jeune médium très puissante, Nettie Colburn, se rendit à la Maison Blanche pour donner une consultation, en état de transe, au Président Abraham Lincoln à la veille de sa Proclamation pour l'Abolition de l'Esclavage.

On attribue à John Fox et aux soeurs Fox une influence importante dans cet énorme intérêt pour le spiritisme, par le Mouvement Spiritualiste qu'ils lancèrent au milieu du dix-neuvième siècle. Il semble que cela commença lorsque la famille Fox emménagea dans une maison où on entendait constamment des coups et des bruits. Un soir, dans l'espoir de trouver un répit à ces bruits, Mme Fox demanda s'il y avait une présence et, si c'était le cas, de frapper deux coups pour dire oui et un coup pour dire non. La communication s'établit immédiatement avec un esprit. Au moyen de ces coups frappés pour dire oui ou non, il se révéla être celui d'un précédent locataire de la maison, un homme de trente et un ans, qui prétendait avoir été assassiné, et que son corps se trouvait dans la cave. Dans les semaines qui suivirent, des centaines de personnes vinrent entendre ces coups frappés. On trouva dans la cave un squelette, à l'endroit exact qu'il avait indiqué. Mme Fox avait trois filles, qui devinrent célèbres sous le nom de « soeurs Fox ». Où qu'elles allaient, des coups se faisaient entendre; elles devinrent médiums et donnèrent nombre de séances publiques. Après qu'elles soient devenues médiums, beaucoup de personnes célèbres assistèrent à leurs séances et les soeurs Fox devinrent l'objet de la curiosité du public. Il est intéressant de remarquer que beaucoup de ceux qui vinrent les voir devinrent eux-mêmes des médiums. Il semble que leur simple présence déclenchait chez les autres des ouvertures.

Beaucoup d'autres médiums, comme on les appelait alors, se signalèrent à l'attention du public. Daniel Douglas Home fut considéré comme l'un des plus grands médiums dits « physiques », car il pouvait produire des phénomènes de lévitation, de la musique sans instrument et toutes sortes de manifestations par télékinésie. Des mains fantômes pouvaient apparaître, aussi bien que d'autres apparitions visibles d'esprits. Son cas fut étudié par d'éminents scientifiques de l'époque, dont certains perdirent presque leur réputation et leur situation en publiant les résultats de leurs études, qui avaient pour objet de vérifier la réalité de ces phénomènes. Plusieurs de ces savants devinrent eux-mêmes des médiums par la suite. Home, lui aussi, avait la faculté de communiquer ses talents spéciaux à ceux qui l'entouraient s'ils y croyaient. Une fois, par exemple, il communiqua son immunité au feu à une femme dont il tenait une main dans laquelle il mit un charbon ardent. Elle dit que cela lui semblait froid comme du marbre. Quelques secondes plus tard, voulant sans l'assistance de Home toucher le charbon, elle retira sa main immédiatement, disant qu'il la brûlait.

Un autre médium célèbre, le Révérend Stainton Moses, produisit beaucoup de manifestations physiques qui donnèrent lieu à des études, comme la lévitation de tables. Quand il transmettait par écrit les enseignements inspirés de son guide, il demeurait conscient; il était très préoccupé que ses pensées n'interfèrent pas avec son écriture automatique. Voici ce qu'il écrivit à ce sujet : « C'est un point de discussion intéressant de savoir si mes propres pensées entrent en ligne de compte dans la teneur des communications. J'ai déployé des efforts extraordinaires pour éviter de telles adjonctions. Au début, l'écriture était lente, et il m'était nécessaire de la suivre avec les yeux, mais même alors, les pensées n'étaient pas les miennes. Très vite les messages prirent un caractère tel que je n'eus plus le moindre doute, la pensée s'opposant à la mienne. Mais je cultivais le pouvoir de m'occuper l'esprit à d'autres choses pendant tout le temps que durait la transcription des messages. » Stainton Moses transmit un enseignement d'une haute portée, très inspiré, et contribua de façon importante à la crédibilité du message des esprits. Il perdait de temps en temps son aptitude à transmettre, du fait d'une maladie récurrente.

Andrew Jackson Davis eut un large impact dans le domaine du spiritualisme avec son livre « Les Principes de la Nature; ses Révélations Divines ». Une nuit il sortit de son lit dans un état de demi-transe et se réveilla le lendemain à soixante kilomètres de là, dans les montagnes. Il dit avoir rencontré deux philosophes, depuis longtemps décédés, qui l'aidèrent à atteindre un état d'illumination intérieure. Il passa alors quinze mois à dicter son oeuvre maîtresse, couvrant une gamme de sujets très vaste. Elle contenait des informations saisissantes, d'une grande hauteur de vue, dont beaucoup furent par la suite démontrées par les moyens scientifiques. Ses écrits révélaient des choses qu'il ne pouvait pas savoir; ils établissaient par exemple qu'il y avait neuf planètes, à une époque où l'on considérait qu'elles étaient au nombre de sept, et où la possibilité qu'il en existe une huitième n'était encore qu'une supposition.

Mme Piper fut un autre médium célèbre de l'époque, et peut-être l'un de ceux qui subirent le plus de tests. Elle commença à transmettre à l'âge de vingt-deux ans et resta pendant huit ans le channel d'un guide avant qu'un autre ne vienne. Ses guides pouvaient fournir aux gens beaucoup de détails précis sur leur passé, des choses qu'il lui était impossible de savoir; elle avait toutefois du mal à donner des dates et des détails spécifiques lorsqu'elle était dans des conditions de test. Il est remarquable que même les channels les plus célèbres ont eu du mal à fournir des données spécifiques tels que des dates ou des noms quand ils étaient testés, mais ils pouvaient donner des indications précises sur ce que les guides jugeaient important pour contribuer au progrès spirituel des gens et pour les aider dans leur vie.

Mme Piper se soumit à l'étude du Docteur Hodgson, qui devint une sorte de Sherlock Holmes du monde psychique, testant et vérifiant l'exactitude des médiums. Il la faisait suivre nuit et jour pour s'assurer qu'elle n'obtenait pas secrètement des informations sur les gens. Elle donnait ses consultations derrière un rideau afin qu'elle ne puisse pas voir les gens, qui lui étaient toujours présentés sous le nom de Smith. En permanence, les détails qu'elle donnait faisaient l'objet de recherches, pour en vérifier l'exactitude. Finalement ses premiers guides la quittèrent et, vers la fin de sa vie, elle transmit un haut enseignement d'une source qui s'identifia comme le Groupe Imperator. Il est à noter qu'à mesure qu'elle transmettait des guides de plus en plus élevés, son processus d'entrée en transe, au début assez difficile, devint une transition douce et facile, empreinte de paix.

A peu près à la même époque, Alan Kardec, un Français, publia de nombreux livres sur la communication médiumnique, parmi lesquels « Le Livre des Médiums et des Guides Spirites », qui sont toujours édités à l'heure actuelle. Si vous désirez vous documenter sur l'histoire de la transmission, nous vous renvoyons au livre intitulé « Une Encyclopédie de la Science Psychique », écrit par Nandor Fodor en 1934, et récemment remis à jour, qui pourra vous être précieux.

L'un des médiums les plus influents et les plus controversés de l'histoire fut Helena Petrovna Blavatsky, connue comme HPB. Née en Ukraine en 1831, elle fit de nombreux voyages, notamment en Angleterre, au Canada, en Inde et en Grèce, et partout où elle allait des phénomènes physiques inhabituels l'accompagnaient. Elle fut rejointe par Henry Olcott, avec qui elle fonda la Société Théosophique. Son premier livre, « Isis Dévoilée », qui demeure aujourd'hui encore un classique, traite de la renaissance des religions anciennes et occultes qu'elle identifie comme étant la source des religions de son temps. Elle se sentait détenir son inspiration et son oeuvre de la hiérarchie secrète des Maîtres Transhimalayens, parmi lesquels les Maîtres Morya et Koot-Houmi, et le Maître Tibétain Djwal Khul. Ces Maîtres adressaient à son ami A.P.Sinnett, en Inde, ainsi qu'à plusieurs autres personnes, des lettres qui furent connues sous le nom de « Mahatma Letters ». Ces lettres lui arrivaient en tombant du plafond, ou bien elle les trouvait sur une assiette ou dans une poche. Il y eut une grande controverse au sujet de l'existence réelle de ces Maîtres et sur le point de savoir si c'était elle, ou eux, qui écrivaient ces lettres. Vers la fin de sa vie, elle dit que c'est sous la dictée de ces Maîtres Orientaux qu'elle avait écrit son oeuvre majeure, « La Doctrine Secrète ». Ce livre affirme que toutes les religions, ainsi que les systèmes religieux occultes et non orthodoxes, dérivent d'une source unique. Cette source est dite cachée en un lieu mystérieux qui ne peut être révélé que dans les symboles occultes d'arcanes.

La très estimable Société Théosophique existe toujours à l'heure actuelle, et HPB a joué un rôle considérable pour faire connaître et diffuser dans la pensée occidentale le travail des Grands Maîtres. Son oeuvre fut poursuivie par Annie Besant et Charles Leadbeater, qui publièrent au début du vingtième siècle des livres sur de nombreux sujets ésotériques, dont les Formes-Pensées, la Perception Clairvoyante, le Karma, les Chakras, les Guides Spirituels et beaucoup d'autres.

En 1919, une jeune femme très dévouée du nom d'Alice Bailey commença à recevoir des messages du Tibétain, le Maître Djwal Khul, et écrivit sous sa dictée, jour après jour, toute une série de livres contenant un enseignement ésotérique de très haute valeur. Elle fonda sa propre Association Théosophique, qui fut rebaptisée en 1923 Ecole Arcane. Elle mit sur pied toute une série d'organisations, parmi lesquelles les Triangles — un réseau de méditation à travers toute la planète —, la Lucis Trust et les Editions Lucis Press publier ses écrits. Ces livres décrivent le chemin de l'initié, la hiérarchie des Maîtres et la Fraternité Blanche, et les initiations que franchit celui qui progresse pour devenir un maître. L'accent y est mis sur le service du monde. C'est de ses écrits que dérive l'expression de « Nouvel Age ».

Après la Première Guerre mondiale et la grande dépression, la technologie et la science occupèrent le devant de la scène et l'enthousiasme du public déclinant, le spiritualisme cessa de faire la une des journaux. La pensée logique, celle du cerveau gauche, imposa sa domination par une vague d'inventions scientifiques et de technologies nouvelles.

On doit à Edgar Cayce, surnommé le « prophète dormant », un regain d'intérêt pour le phénomène du channeling vers le milieu du vingtième siècle. Il pouvait, sous hypnose, donner des informations surprenantes, notamment des diagnostics médicaux pour des personnes se trouvant à des milliers de kilomètres. Il tint des discours philosophiques d'une grande profondeur sur des sujets variés, que l'on peut trouver dans de nombreux livres sur sa vie et son oeuvre. Il s'était dévoué au service de l'humanité, et la Fondation A.R.E. poursuit aujourd'hui son oeuvre importante. Ses formules de guérison et l'enseignement qu'il a transmis ont été répertoriés et sont disponibles pour le public au siège de la fondation situé à Virginia Beach, dans l'Etat de Virginie.

Plus récemment, Jane Roberts a fait beaucoup pour attirer l'attention sur la qualité des enseignements reçus par channeling. A partir des années 1960, elle et son guide, Seth, transmirent des volumes d'enseignement et de développements philosophiques sur toute une variété de sujets. Ses livres sont bien écrits, riches d'informations et très positifs vis-à-vis de nombreux points d'ordre métaphysique ou ésotérique. Ils incitent l'individu à croire en lui-même et à accepter l'idée que chacun a en lui le pouvoir de réaliser tout ce qu'il désire. Un de ses livres les plus connus, « La nature de la réalité personnelle », explique la nature de la réalité et met l'accent sur notre aptitude à changer ce qui nous arrive en changeant nos croyances. Ses livres constituent une norme de qualité et d'intégrité des transmissions; ils ont ouvert beaucoup de gens à la possibilité de l'existence des guides, de même qu'ils en ont inspiré un grand nombre à vouloir transmettre eux-mêmes.

Il est à noter que les médiums qui produisent des phénomènes physiques, tels que des matérialisations de guides ou des tables qui tournent, sont de plus en plus rares. Questionnés sur ce point, Orin et Da-Ben nous ont dit que ces manifestations furent nécessaires dans le passé pour éveiller l'humanité à ses capacités de connecter les autres plans de réalité et pour l'aider à établir sa croyance dans l'existence des guides et de la vie après la mort. Ces phénomènes très frappants, scientifiquement vérifiés, objets de documents photographiques, répondaient à un besoin de l'humanité pour lui permettre de franchir une étape et progresser vers le niveau suivant de développement dans ce domaine. Suffisamment de gens, à présent, croient au channeling, pour que de tels événements saisissants ne soient plus aussi nécessaires qu'auparavant. Certains channels célèbres d'aujourd'hui, qui présentent leur guide sous un jour sensationnel, ont choisi délibérément d'agir ainsi pour aider les gens à croire à la réalité des guides. Cela requiert une énergie considérable de la part des guides pour produire ces phénomènes et aujourd'hui, cette même énergie est utilisée pour atteindre de plus en plus de gens. Orin et Da-Ben nous disent que la transmission consciente est la prochaine étape dans le développement des capacités humaines à devenir un channel.

Transmettre - le moment est venu pour l'humanité

ORIN ET DA-BEN   *De plus en plus de gens s'éveillent à leur connexion avec l'esprit universel et leur être essentiel. Ils deviennent conscients des royaumes supérieurs de l'univers. Dans le passé, il y a toujours eu des gens en* contact avec les mondes qui sont au-delà de l'univers connu. Ils ont reçu des noms divers : chamans, hommes-médecine (ou femmes-), voyants, prophètes, oracles, médiums, transmetteurs ou channels, et guérisseurs. Cependant ce n'est qu'au cours des cent cinquante dernières années qu'un nombre significatif de personnes ont été à même de s'élever au-delà du plan terrestre pour transmettre le message des royaumes supérieurs. L'énergie qui leur a donné le pouvoir de contacter ces plans supérieurs s'est intensifiée durant les cinquante dernières années, comme le montre la vague d'inventions scientifiques et technologiques.

Vous avez la capacité de voir et de contacter les plans de réalité qui sont au-delà de l'univers visible et connu.

Beaucoup d'âmes élevées choisissent de s'incarner à l'époque présente; leur nombre a augmenté au long des soixante dernières années et continue de s'accroître. Tandis que grandira le nombre de ceux qui croient au channeling et à leurs facultés intuitives, il y aura de plus en plus d'humains ouverts à ces niveaux qui naîtront avec des talents psychiques, télépathiques et extra-sensoriels.

De plus en plus de personnes s'ouvriront au channeling.

Aujourd'hui, ceux qui consacrent leurs énergies à croître spirituellement seront abondamment récompensés. Ils pourront évoluer rapidement, parce que la terre est énergétisée en ce moment précis. Ils peuvent acquérir la faculté de parvenir à des degrés supérieurs de conscience et d'être des sources d'enseignements et d'informations venant des royaumes supérieurs, de façon consciente et contrôlée. L'aptitude à découvrir le Soi tel qu'il existe en d'autres dimensions et sur d'autres plans est présente aujourd'hui plus que jamais auparavant. *Plus de personnes qu'à aucune autre époque possèdent la faculté de transmettre, de partir à la découverte d'un futur différent et possible, d'évoluer vers une compréhension et une conception nouvelles du temps, de contrôler le mental et l'inconscient, et de percer jusqu'au pouvoir majestueux de leur être supraconscient. A mesure que de plus en plus de personnes partent à l'aventure des autres dimensions et des royaumes supérieurs, une voie s'ouvre pour d'autres encore, qui jamais auparavant n'ont pu faire de tels voyages.*

Ce n'est pas une coïncidence si tout cela arrive maintenant. Il y a de nombreuses forces qui influencent le genre humain. Des changements se produisent dans des dimensions au-delà de celle de la terre; il se crée des seuils d'accès à d'autres plans de réalité qui jamais jusqu'ici n'ont été accessibles aux humains. Deux dimensions s'entrecroisent et s'interpénètrent de manière telle que quiconque le désire peut atteindre des dimensions plus élevées, où seuls auparavant pouvaient parvenir aisément de rares personnes disposant d'une sensitivité exceptionnelle. A mesure que ces changements sont mieux perçus par ceux qui sont en contact avec leur être spirituel, ils affectent, à un degré ou un autre, tout le monde.

La vibration de la terre est en élévation continue. Certains peuvent percevoir cela comme une accélération. La nature du temps est en train de changer; vous évoluez du temps linéaire vers un sens plus intuitif du temps. La gravité se modifie lentement et des altérations se produisent dans les fréquences électromagnétiques de la terre.

Au cours des cent cinquante dernières années, vous avez développé de nouvelles perceptions, dites « extra-sensorielles ». Parmi elles il y a la précognition (faculté de connaître le futur), la télépathie (transfert de pensée) et la clairvoyance (faculté de voir les énergies normalement invisibles, et même celles qui s'exercent sur un autre plan d'existence). Ces facultés se développent du fait de l'activation de vos centres spirituels et des changements affectant la terre. Ces derniers toucheront beaucoup de personnes et transformeront d'une manière radicale le potentiel et la direction de votre avenir collectif.

La télépathie vous rend capables d'explorer des mondes invisibles. Vous avez tous de plus grandes capacités télépathiques que vous ne l'imaginez. La télépathie est la faculté de recevoir des pensées-impulsions d'autres personnes et de transférer la pensée d'une dimension, ou d'une réalité, dans une autre. Tandis que se développent vos aptitudes télépathiques, vous élaborez un véhicule vous permettant de vous déplacer plus rapidement et plus efficacement que l'avion ou l'automobile. La télépathie vous donne la possibilité de voyager en des lieux qui ne sont accessibles par aucun autre moyen.

Vos yeux ne peuvent voir que le spectre des couleurs de l'arc-en-ciel et vous oubliez souvent qu'il existe beaucoup de fréquences électromagnétiques, comme l'infrarouge et l'ultraviolet, qui sont juste en dehors de la gamme que vos yeux détectent. Certains de vous développent la faculté de capter des fréquences subtiles, au-delà du champ normal de vos sens. C'est dans ces fréquences que vous pouvez percevoir les guides et les plans où d'autres entités vivantes, telles que nous-mêmes, existent. Votre lucidité télépathique allant en s'accroissant vous donnera la capacité de communiquer avec d'autres formes de vie, comme les plantes ou les cristaux, et les êtres vivants en d'autres royaumes, en modulant la qualité de votre réceptivité.

La croyance en la possibilité de joindre ces dimensions invisibles et néanmoins réelles n'est pas encore évidente pour tous, cependant, à travers le monde se répand la croyance en l'existence possible de dimensions au-delà de la terre elle-même, tout autant qu'en la vie après la mort. L'attitude ouverte et positive à l'égard de l'existence possible de guides invisibles s'est grandement renforcée et la curiosité enthousiaste qui entoure aujourd'hui le channeling et les guides facilite considérablement, pour ceux qui la désirent, la connexion consciente avec leur guide. Les messages amenés par une conscience extra-sensorielle rencontrent une confiance plus grande que dans le passé.

L'âge d'or de l'homme s'approche.

Les énergies qui arrivent actuellement sur la terre énergétiseront et activeront ce sur quoi vous vous focalisez. Pour ceux d'entre vous qui sont réceptifs et déjà concentrés sur leur chemin spirituel, ces énergies nouvelles feront que les choses tourneront mieux que jamais auparavant. Des portes s'ouvriront; vos relations s'amélioreront. Vous pourrez regarder au-dedans de vous et trouver les réponses que vous cherchiez. Vous pourrez traverser des difficultés temporaires, le temps de laisser s'en aller l'ancien pour accueillir le nouveau. Nombre d'entre vous sont déjà passés par cette période d'ajustement. De l'autre côté il y a une vie meilleure, pleine d'abondance, d'amour et de succès. Appréciez vos leçons actuelles comme elles viennent, en vous rappelant qu'elles vous préparent à accueillir une vibration supérieure.

Vous pourrez continuer à voir des personnes dans la peine ou la difficulté, à lire dans les journaux les troubles qui agitent le monde. Votre défi, en atteignant ces mondes supérieurs, est de vous rappeler que votre stabilité tiendra désormais à votre connexion avec les royaumes élevés plutôt qu'avec les autres personnes. Vous serez en mesure de prodiguer aux autres équilibre et stabilité en opérant cette connexion. Il est plus important d'aider ceux que vous voyez en difficulté pour s'accorder aux vibrations nouvelles, que d'être pris dans leurs peurs. En ouvrant en vous le canal, vous serez celui qui porte la lumière, offrant soutien, encouragement et guidance aux autres. Cette époque vous offre de grandes occasions. La musique, l'art, l'écriture, les expressions culturelles les plus hautes de l'humanité sont encore à venir, et elles seront produites sous l'influence de cette vibration supérieure.

Trouvez votre moment pour commencer

SANAYA ET DUANE   Il y a maintenant deux ans qu'Orin et Da-Ben nous firent cette suggestion d'enseigner le channeling. Nous avons pu voir des centaines de personnes acquérir la maîtrise de leur vie à travers la connexion avec leur guide ou leur être essentiel, l'éveil à leur instructeur intérieur, et la découverte de leurs aptitudes à se transformer elles-mêmes et à transformer les autres. Nous avons pu les voir réussir leur vie, devenir plus heureuses et prospères, et trouver leur but essentiel par la transmission. Nos propres expériences du channeling ont considérablement enrichi nos vies. Nous avons trouvé en Orin et Da-Ben des sources constantes d'amour, de croissance et de guidance.

Au regard de notre expérience et de celle des autres, transmettre EST en effet un art que l'on peut apprendre. Les guides viennent effectivement à ceux qui en font la requête. Orin et Da-Ben avaient raison. Nous avons éprouvé un profond contentement à observer et à assister les gens dans leur ouverture pour transmettre. Il est possible à chacun d'obtenir la lumière, d'atteindre la conscience supérieure à laquelle il aspire. Le channeling est l'une des voies pour y accéder et nous sommes très reconnaissants d'avoir eu la possibilité de vous l'offrir.

Avant de reposer ce livre, décidez du moment où vous voulez vous ouvrir pour transmettre et connecter votre guide. Fermez les yeux, asseyez-vous au calme et demandez à votre être supérieur de vous donner une date à laquelle vous pourriez commencer. Ce peut être aujourd'hui ou dans un an. Quand vous avez une date à l'esprit, demandez-vous à vous-même si vous pourrez vraiment transmettre alors. Est-ce trop tôt ou cela vous laisse-t-il plus de temps qu'il n'en faut pour être prêt ? Continuez à envisager des dates, jusqu'à ce que vous trouviez celle qui vous semble la meilleure. Ouvrez les yeux et marquez cette date sur un calendrier, puis laissez aller les choses. Votre être essentiel va maintenant commencer à faire venir les circonstances, les coïncidences, les opportunités de progresser, et les événements nécessaires pour que cela se produise. En suivant vos messages intérieurs, en agissant en accord avec eux, tout ce que vous ferez vous préparera à votre ouverture au channeling.

Sanaya Roman et Duane Packer n'organisent plus le cours: «Comment devenir channel». Après avoir lu ce livre et pratiqué les exercices, si vous désirez recevoir davantage d'assistance, vous pouvez suivre le cours transmis par Orin et Da-Ben sur audio-cassettes (en anglais seulement). Pour toute information concernant ces cassettes, ainsi que pour un abonnement gratuit au communiqué mensuel d'Orin et de Da-Ben, veuillez écrire (en anglais) à:

LuminEssence Productions
P.O. Box 19117, Oakland, CA 94619, USA

Autres livres traduits en français:

— Choisir la joie, Sanaya Roman, Ed. Ronan Denniel
— Créer l'abondance, Manuel de prospérité, Sanaya Roman et Duane Packer, Ed. Soleil. (A paraître début 1990)

LES ÉDITIONS SOLEIL

Nous sommes de plus en plus nombreux à désirer nous rapprocher de la nature, donner une part plus grande à la créativité personnelle et vivre pleinement dans un monde en changement constant. Pour cela, il nous faut découvrir les principes de santé et d'harmonie nous permettant d'améliorer notre relation avec nous-mêmes, nos proches et le monde dont nous faisons partie.

Les méthodes de santé sont actuellement multiples et variées. Qu'elles soient issues des traditions anciennes ou des études scientifiques modernes, il est important de percevoir leur complémentarité pour faire ensuite librement ses choix et agir en se prenant en charge.

Tel a été le message de la FONDATION SOLEIL qui a œuvré pendant douze ans pour la pédagogie de la santé, avec le principe de *proposer sans imposer, informer sans prendre parti.*

S'inspirant de cette démarche, les ÉDITIONS SOLEIL présentent des chemins possibles, montrent des directions, en se situant au-delà des querelles d'école et en respectant les convictions et préférences de chacun. D'un livre à l'autre se multiplient les occasions de prise de conscience et de compréhension. Si les expériences proposées nous attirent, nous sommes invités à *vivre toujours plus au pays du bien-être :* favoriser notre santé et notre épanouissement, développer nos ressources personnelles et notre connaissance de nous-mêmes dans une approche globale tenant compte de toutes les dimensions de l'être humain : physique, émotionnelle, mentale et spirituelle.

Elaborés par un groupe de personnes de tous horizons réunies par leur intérêt pour la pédagogie de la santé, les livres signés ''Docteur Soleil'' présentent la synthèse des études menées sur un sujet donné. A la portée de tous, ils sont rédigés dans un langage simple et avec humour. Comme tous les livres des ÉDITIONS SOLEIL, ils ne sont pas destinés à nous intellectualiser davantage, mais à nous inciter à sortir du monde des limitations pour entrer dans une conscience de la vie plus large, plus drôle, plus libre, plus dense et plus palpitante.

Les ÉDITIONS SOLEIL publient également des cassettes dont la plupart complètent les livres.

Pour tout renseignement :
EDITIONS SOLEIL - 32, avenue Petit-Senn
CH-1225 Chêne-Bourg, Genève
Tél. (022) 49 24 70

BONJOUR BONHEUR!
Ken Keyes Jr

Grâce aux Douze Chemins, créez un monde dans lequel le bonheur fleurit à chacun de vos pas!

Apprenez à cesser de programmer votre malheur et celui de vos proches. Des étapes à suivre pour remplacer
— les habitudes par *la Liberté*,
— la haine par *l'Amour* et
— l'ignorance par *la Sagesse*.
Ken Keyes démontre comment transformer nos *dépendances* (= demande ou désir stimulé par une émotion qui, non satisfait, entraîne colère, peur de perdre, illusion) en *préférences* (= désir ou attente qui, même insatisfait, ne nous rend pas malheureux et entraîne l'amour, la plénitude et le discernement).

300 pages / FS 28.– / FF 98.–

collection
DÉVELOPPEMENT
PERSONNEL

🌞 Editions Soleil

NÉ POUR GUÉRIR
Reshad Feild

Reshad Feild semble avoir été préparé dès sa naissance à devenir un instrument de guérison.

Son autobiographie est pleine d'expériences passionnantes, décrites avec intensité et humour!

A travers ses voyages, ses rencontres de maîtres soufis, indiens ou celtes, il nous transmet avec délicatesse ses connaissances et ses méthodes de guérison.

Avec Reshad Feild, découvrez comment vous guérir vous-mêmes, guérir les autres et guérir notre planète terre!

**Env. 220 pages
FS 24.– / FF 88.–**

TECHNIQUES DE VISUALISATION CRÉATRICE
Shakti Gawain

Votre imagination vous permet de créer une image précise de ce que vous désirez, puis de soutenir cette image par l'énergie positive de votre attention jusqu'à ce qu'elle devienne une réalité objective. Utilisez cette puissance pour créer ce que vous désirez : amour, joie, relations satisfaisantes, travail gratifiant, santé, beauté, prospérité... Vous pourrez choisir ce que vous voulez vivre au lieu de subir des situations où vous dépendez d'autrui ou de vos conditionnements. La visualisation créatrice vous ouvre les portes de l'abondance naturelle de la vie.

LA VISUALISATION CRÉATRICE
en cassette !

Le complément indispensable pour pratiquer la visualisation créatrice partout et en tout temps.
Vous y trouverez les exercices du livre de SHAKTI GAWAIN.

SUR LE CHEVAL DES RÊVES

Deux exercices de détente profonde et de visualisation afin de vous libérer des contraintes quotidiennes et de vous permettre une régénération totale, physique et psychique.

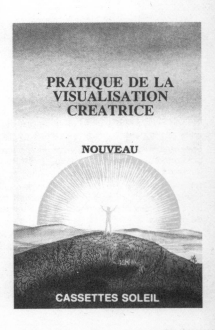

DIALOGUE
AVEC LA NATURE
Michael J. Roads

"Sois le bienvenu! Tu es souvent passé ici, aveugle à nos subtilités, sourd à nos murmures de vérité. Tu reviens maintenant. Avec toi, nous accueillons l'humanité."

Les bruits de la ville s'éloignent, l'esprit rationnel s'apaise, l'homme d'aujourd'hui retrouve le contact avec le monde fondamental dont il fait partie. "Un jour, raconte l'auteur, je décidai de me reconnecter aux énergies de la Nature auxquelles j'avais été lié dans mon enfance. J'allai m'asseoir au milieu des arbres et retrouvai cette même magie, aussi intense. Une paix indescriptible m'enveloppa. La Nature me parlait."

Un livre magique de communication avec la nature.

190 pages / Illustré
FS 23.– / FF 82.–

SECRETS TIBÉTAINS
DE JEUNESSE ET DE VITALITÉ
"Comment retrouver et garder sa forme"
Peter Kelder

La légendaire Fontaine de Jouvence révélée...

...l'histoire d'un homme qui défia l'Himalaya mystérieux et en ramena l'enseignement d'un monastère tibétain: cinq rites, faciles à pratiquer, mais assez puissants pour vous assurer santé, jeunesse et vitalité...

100 pages / FS 16.– / FF 56.–

VIVRE EN HARMONIE
AVEC L'UNIVERS
Edmond Bordeaux-Szekely

Traduction des quatre tomes de l'Evangile essénien, supprimé de l'ensemble des textes connus aujourd'hui sous le nom de "La Bible" par l'Eglise des premiers siècles. A l'opposé d'une spiritualité purement cérébrale, la loi dont parlent les Esséniens n'est pas une loi religieuse dogmatique et figée, mais l'intuition de vie qui réside en chacun.

Un texte précieux en cette fin de XXᵉ siècle où vie individuelle et vie collective sont appelées à d'intenses transformations.

**328 pages / Illustré
FS 32.– / FF 110.–**

LA VIE
BIOGÉNIQUE
Edmond Bordeaux Szekely

Le Docteur Bordeaux-Szekely découvre dans les archives du Vatican, le manuscrit de l'Evangile essénien de la Paix, qu'il publia en français en 1928. Romain Rolland lui écrivit alors : "Ce texte, d'une sublime élévation, est un hymne à la vie universelle et à la solidarité de tous les êtres vivants." Il convainquit Edmond Bordeaux-Szekely d'écrire un livre pour enseigner la sagesse des Esséniens en ce siècle turbulent : *La vie biogénique.*

Ses livres, cours et séminaires furent l'une des sources du mouvement de santé holistique qui se développa aux U.S.A.

**202 pages / illustré
FS 22.– / FF 82.–**